*Lettres d'amour
de 0 à 10*

Susie Morgenstern

Lettres d'amour de 0 à 10

l'école des loisirs
11, rue de Sèvres, Paris 6ᵉ

Du même auteur à *l'école des loisirs*

Collection NEUF
La sixième
Lettres d'amour de 0 à 10
Le vampire du CDI
Privée de bonbecs
Les deux moitiés de l'amitié
Le club des crottes
Mon royaume est un cheval (recueil de nouvelles collectif)
Mademoiselle Météo

Collection CHUT!
Lettres d'amour de 0 à 10
lu par Alice Butaud

© 2018, l'école des loisirs, Paris, pour l'édition Neuf poche
© 1996, l'école des loisirs, Paris, pour la première édition
Loi n° 49.956 du 16 juillet 1949 sur les publications
destinées à la jeunesse : mars 1996
Dépôt légal : février 2018
Imprimé en France par CPI Firmin Didot
à Mesnil-sur-l'Estrée (145295)

ISBN 978-2-211-23574-7

Pour Philippe Silvy

Ernest

Il marchait lentement vers l'immeuble. Il ne regardait pas autour de lui.

Le trajet était obstinément le même. Il n'inventait jamais d'autres itinéraires. Il ne changeait pas de côté de trottoir, se dirigeant droit vers l'école, puis de retour chez lui.

Il montait lourdement les cinquante-sept marches jusqu'au troisième étage. Il ne sautillait pas, il ne se hâtait pas. Ernest n'était pas pressé. Les dix ans de sa vie s'étaient passés sans courir, dans la quasi-immobilité d'une vieillesse plus que précoce.

Il posa le cartable dans sa chambre, la moins encombrée de la maison parce que la plus petite.

On aurait dit un placard, ou la cellule d'une antique prison : un lit, une table, une chaise, une armoire, le tout impeccablement rangé. Il sortait ses livres et cahiers à l'avance pour ses devoirs avant d'aller trouver son goûter sur la table de la cuisine.

Une grosse pomme verte et une biscotte l'attendaient depuis midi. La gouvernante les installait tous les jours après avoir débarrassé la table du déjeuner. Son goûter variait peu.

Après quelques bouchées, la pomme l'écœurait, mais il la mangeait jusqu'au bout. Puis il commençait à faire ses devoirs avec concentration et méthode. Il savait que plus vite c'était fait plus vite il pourrait piocher dans la seule armoire qui n'était pas fermée à clef.

Quand Grand-Mère entendit le grincement de la porte de la bibliothèque et le tintement de la vitrine, elle sortit de sa chambre et vint s'asseoir avec Ernest dans le salon.

« Bonsoir Grand-Mère », dit Ernest en prenant place sur le canapé en velours usé. Personne ne l'appelait jamais par son prénom : Précieuse. C'était difficile d'imaginer quelqu'un s'adressant à elle ainsi.

Grand-Mère inclina la tête en guise de salutation. Elle parlait rarement et peu. Ernest avait l'impression que si elle bougeait plus, elle se désintégrerait. Elle avait quatre-vingts ans, mais le genre de quatre-vingts vraiment vieille comme les grands-mères des livres anciens. Sa peau était tellement fripée et froissée et sèche qu'Ernest avait peur que si jamais elle souriait, ça devienne de la poussière. D'ailleurs, elle ne souriait jamais. Elle marchait avec peine, elle mangeait sans appétit, elle gardait ce petit-fils par devoir. Il n'y avait personne d'autre qu'elle.

Elle avait élevé Ernest depuis sa naissance, à la mort de sa mère. Dans la famille Morlaisse, on mourait d'accidents anciens, des accidents de l'histoire : la Deuxième Guerre mondiale pour son grand-père, la Grande Guerre pour son arrière-grand-père, et pour son propre père une étrange disparition après l'enterrement de sa femme quand Ernest était vieux d'un jour.

Sa grand-mère avait donc perdu son père à cinq ans, perdu son mari à trente ans, perdu son fils à soixante-dix ans en héritant d'un bébé pour qui elle n'avait ni la force physique ni la force morale.

Mais elle fit ce qu'il fallait faire.

Elle avait immédiatement engagé une femme à peine plus jeune qu'elle pour veiller à la nutrition et à l'hygiène du bébé. Cette femme, Germaine, venait à l'époque de perdre son mari, n'avait pas d'enfants et cherchait à fuir son isolement plus qu'à gagner un salaire. Les deux femmes s'entendaient bien car elles avaient les mêmes principes… beaucoup de principes. Elles vivaient côte à côte en lignes parallèles. Mme Morlaisse lui avait offert une des nombreuses chambres, mais Germaine préférait aller et venir, sauf au début, quand Ernest ne dormait pas encore la nuit, et parfois par mauvais temps.

Germaine était donc vieille aussi, une vieillesse qu'elle travaillait à masquer avec les maquillages les plus modernes. Les fards de Germaine étaient d'ailleurs le seul soupçon de modernité dans cette maison sans appareils, sans machines, sans télévision. Germaine se livrait à une bataille contre les cheveux blancs, les rides et la graisse, mais elle avait abandonné la lutte contre la dépression. Les premières années, elle avait entouré Ernest des seules paroles qu'il entendit, mais dès son entrée à l'école Germaine se renferma comme sa patronne. La conversation était réservée à la communication strictement utilitaire, et même celle-ci fut peu nécessaire car la maison marchait toute seule, par habitude, par lassitude, en service minimum réglementé.

Germaine faisait les courses et la cuisine. Elle aurait pu commander par téléphone mais il n'y avait pas de téléphone. Une autre dame, une amie de Germaine, également avancée en âge, faisait le ménage. Tout le linge allait chez le blanchisseur.

Mme Morlaisse s'assit, statue silencieuse et morne. Avant elle lisait aussi à côté d'Ernest. Maintenant ses yeux se fatiguaient trop vite. Souvent Ernest levait la tête de son livre et s'apercevait que Grand-Mère somnolait, toujours droite et raide dans son fauteuil. Il lui arrivait même de ronfler, ce qui offrait un peu d'animation sonore pour rivaliser avec le tic et le toc des horloges. Ernest savait que Grand-Mère n'aurait pas aimé savoir qu'elle ronflait, et il ne lui en fit jamais la remarque.

Quelle que soit la profondeur de son sommeil, elle se levait d'un bond à 20 heures pour écouter les informations. La radio était un des premiers modèles fabriqués. Obtenir France Inter était un défi aussi grand que de recevoir Radio Londres pendant la guerre avec le même effet de sons lointains et de parasites proches. Mme Morlaisse n'entendait plus très bien et le journaliste n'était pas tenu de répéter trois fois chaque information comme il aurait fallu. C'était sans importance, car Mme Morlaisse n'était pas très curieuse du monde. De temps en temps un mot, un nom, un pays provoquaient une réaction. Si par hasard le journaliste disait «l'Allemagne», elle répétait en soupirant «l'Allemagne». Ce qui lui importait était d'allumer la radio à 20 heures, comme elle l'avait toujours fait.

Ernest, lui, écoutait attentivement du début à la fin, comme si on allait lui annoncer la réponse qu'il cherchait. La politique, les élections, les politiciens ne l'intéressaient pas. Lui, il s'asseyait patiemment sur le canapé et guettait la Troisième Guerre mondiale, celle qui, comme les précédentes, emporterait sûrement un autre Morlaisse.

C'est à 20 h 30 que les Morlaisse soupent. Le menu est toujours identique : de la soupe. La soupe se digère bien, fait grandir et assure une nuit paisible, à condition qu'il n'y ait ni sel ni poivre. Germaine ne revenait pas le soir. Ernest réchauffe la soupe et range les assiettes dans l'évier. Après, il va se coucher sans protestation. Un enfant a besoin de sommeil. Avant de faire sa toilette, il dit : « Bonne nuit Grand-Mère, dormez bien. » Et elle cligne des yeux en signe de reconnaissance.

Ainsi, les jours de la semaine, Ernest se lève sans entrain mais bien entraîné, mange deux biscottes avec la confiture d'oranges amères fabriquée par une cousine de Germaine dans le Midi, boit un bol de lait tiède, noue sa cravate, range son cartable et se rend à l'école. Il revient tous les midis, car ni Germaine ni sa grand-mère ne croient aux bienfaits de la cantine scolaire. Chez elle, il n'y a ni boîtes de conserve ni surgelés. Les poissons sont en pleine possession de leurs têtes, les pommes de terre sortent de la terre, sans passer par des usines. Mme Morlaisse craint l'overdose de sel, de sucre et de mauvaises influences. Germaine soupçonne les mauvaises huiles, les fritures, la viande avariée et un excès de bruit.

Ernest n'a ni jeans, ni jogging. Deux fois par an, un tailleur se rend chez eux, prend ses mesures et lui coud un costume d'une coupe neutre, ni du siècle dernier ni de celui-ci. Ça ressemble plutôt à l'uniforme d'un pensionnaire anglais. Ce tailleur lui fournit également ses chemises, cravates, mouchoirs, sous-vêtements, chaussettes et un manteau.

Cet accoutrement évite à Ernest les contacts avec les autres enfants ; de toute façon, il les évite, non pas par goût, mais par prudence. On ne se moque pas de lui. On a l'habitude. Et il est de loin le meilleur de la classe, sauf en expression écrite quand il faut raconter une émission de télévision, ses dernières vacances ou ce qu'il a fait le dimanche.

Les dimanches d'Ernest sont encore moins remplis que les autres jours de la semaine. Les minutes s'écoulent goutte à goutte comme dans un sablier humide. Germaine ne vient que pour préparer et servir le repas de midi, un repas de dimanche qui comprend une viande et trois légumes avec de la compote pour dessert.

Après la sieste, Mme Morlaisse convoque Ernest au salon, retire une clef de sa poitrine flétrie, ouvre la porte en marqueterie, sort une boîte en porcelaine fine dans laquelle se trouve *la* lettre. Ils prennent place tous les deux autour de la table posée sur un pied en forme de lion doré.

«Vous la lisez, Grand-Mère?» demande Ernest.

Mme Morlaisse extrait la feuille de son enveloppe, la déplie avec d'infinies précautions et la fixe comme si elle contenait les solutions à tous les puzzles de l'univers. Seulement, elle est illisible. Ernest le sait, mais chaque dimanche il espère plus fort. Lui-même, bien qu'étant le meilleur de sa classe, ne peut pas comprendre le moindre signe. Il n'y a ni A, ni B, ni Z, simplement une jungle de nœuds qui crient d'une façon muette. Son arrière-grand-père l'avait envoyée d'un village près du front. De tous les secrets dans cette maison, celui-ci était le plus grand, ou peut-être le deuxième plus grand. Ernest pensait que s'il continuait à être un excellent élève, il percerait un jour les secrets.

Victoire

Ernest ne sourit pas. À l'école, il participe aux discussions seulement quand le maître le désigne par son nom. Ses réponses sont justes, réfléchies et efficaces, ses observations astucieuses et sensées. Ernest aime l'école car la musique des paroles berce sa solitude, et l'école nourrit son espoir d'être un jour capable de lire dans l'encre étalée sur la feuille usée de la lettre.

Les garçons le laissent tranquille dans son isolement.

Les filles, par contre, tentent de se faire remarquer, de s'insinuer dans son univers, de l'attirer dans leurs rayons de chaleur. Une chose qu'Ernest ne peut pas cacher, c'est sa beauté. Toutes, elles ne rêvent que de le toucher, le palper. Elles aimeraient, au moins, recevoir le regard de ses yeux noirs, ce regard réservé au sol, au ciel ou aux pages des livres.

Elles lui apportent des gâteaux qu'elles posent sur sa table et qui restent là jusqu'au passage de la personne de service. Ernest n'est pas impoli, seulement il n'a jamais goûté un gâteau et ça lui fait peur. Germaine et Précieuse n'en mangent pas. Parfois, il trouve une confiserie alléchante ou un fruit exotique, mais il sait qu'il y a des règles et qu'il ne faut pas manger entre les repas.

Souvent on lui passe des mots. Ça ne lui vient pas à l'esprit de les déplier. Il ne connaît donc pas les messages : « Ernest, je t'aime. » « Tu es beau, mange mon gâteau. » « Je t'invite à ma boum mercredi prochain. » Mots d'amour pleins d'espoir inefficace.

Pendant les récréations, il lit sur un banc ou sous le préau. À la fin de la classe, il part directement pour la maison. Il ne regarde ni à gauche ni à droite. Certaines le suivent en rêvant qu'il lâcherait un mot en leur direction. Elles savent où il habite, elles guettent ses sorties, elles vivent dans l'attente d'un bonjour.

La vie d'Ernest n'avait pas de faille. Elle se répétait quotidiennement de la même façon. Il n'y avait pas de surprises… jusqu'à ce lundi de début novembre. La directrice fit irruption dans la salle de classe, poussant devant elle une nouvelle élève. «Je vous présente Victoire de Montardent. Elle fait désormais partie de votre classe.»

Ernest eut un léger choc. Cette Victoire était différente des autres, habillée un peu comme lui, blazer bleu marine et jupe plissée, chemisier strict. Un bandeau noir apprivoisait ses cheveux longs et noirs. Et comme la table à côté de lui était la seule libre, le maître la plaça là. Elle s'assit en lançant à Ernest, à brûle-pourpoint et sans complexe, un franc bonjour. Il ne put faire autrement que de le lui rendre.

Quand le maître donna un livre à sa voisine, Ernest lui indiqua la page. Il était bien obligé. Chaque fois que le maître disait: «Ernest, je compte sur toi pour expliquer à la nouvelle», Ernest exécutait l'ordre comme un robot, sans regarder la fille, mais en s'assurant qu'elle comprenait, par un : « Nous sommes d'accord, n'est-ce pas ? » Et elle le gratifiait d'un énergique : « D'ac Mac ! »

À la récréation, au lieu de se joindre aux autres filles, elle suivit Ernest jusqu'à son banc et elle fit ce qu'il faisait, lire un livre, sauf qu'elle n'en avait pas. Elle lut alors le sien, assise tout près de lui, forçant ses yeux à garder le rythme et à être prêts quand il tournait la page.

À la fin de la récré, Ernest ferma le livre et retourna dans la classe avec Victoire à sa remorque. À l'heure de la cantine, Ernest mit son manteau pour reprendre le chemin de la maison avec Victoire encore à ses trousses pendant tout le trajet. Quand il ouvrit la porte d'entrée, elle lui cria : « J'habite un peu plus loin. Je viendrai te prendre tout à l'heure. Bon appétit ! »

Elle l'attendait quand il ressortit. Ernest marchait d'un pas déterminé comme si Victoire n'était pas là. Pour bien lui faire sentir sa présence, elle lui prit le bras et l'interrogea : « Ça fait longtemps que tu habites ici ? » Ernest hocha la tête.

«Tu ne manges jamais à la cantine?» Il fit non de la tête. «Tu as des frères et sœurs?» Sa tête bascula de gauche à droite. «Tes parents sont-ils sévères?» Peu importait à Victoire qu'Ernest réponde ou pas à son interrogatoire, elle avait assez de conversation pour deux. «Mes parents sont très sévères: on n'a pas le droit de regarder la télé avant d'avoir fini ses devoirs. Quelle est ton émission préférée? Quel est ton plat préféré? Qui est ton chanteur préféré? Qu'est-ce que tu fais comme activité le mercredi? Moi c'est piano et piscine. Où allez-vous en vacances? Est-ce que tu fais une collection? Moi c'est les papiers métalliques des tablettes de chocolat. As-tu visité un pays étranger? Tes parents te permettent-ils d'aller à des boums?»

Ernest, si bon élève, se révélait un cancre accompli; il ne put répondre à une seule question. Il ne connaissait le nom d'aucun chanteur, d'aucun programme de télévision. Son plat préféré? On mange ce que l'on vous donne. La fréquence de la soupe dans son bol devait la mettre en haut de la liste. Mais il n'avait pas de tendresse particulière pour la soupe. Quant à une collection, la seule chose à laquelle il pensa, c'était les cinquante-sept marches de son immeuble, ou ses pas jusqu'à l'école (souvent il les comptait), ou les minutes qui rongeaient la journée sans même qu'on s'en aperçoive, ou bien les autres sortes de minutes qui traînent comme un poids mort.

«J'ai posé assez de questions pour le moment. Tu n'en aurais pas quelques-unes pour moi?»

Ernest était inquiet. Personne ne lui avait jamais posé de questions et il n'avait pas appris à en formuler. En plus, la curiosité appliquée aux gens qu'il croisait n'était pas très développée en lui. N'empêche qu'il cherchait. Il se grattait une partie du cerveau jusqu'ici inutilisée pour extraire le moindre petit point d'interrogation. Mais rien ne parvint jusqu'à sa bouche. Il avait pourtant envie de lui être agréable. Comme si elle comprenait son désarroi, elle lui dit: «Ça ne fait rien, Ernest. Tu es tellement beau que tu n'as pas besoin de parler pour te rendre intéressant.» Elle tenait encore fermement son bras.

Ernest n'en croyait pas ses oreilles. Lui ? Beau ? Première nouvelle.

Une question… une question. On ne pose pas de questions si on ne veut pas savoir la réponse. Il tourna ses yeux vers elle subitement et se mit à bégayer : « V-V-V-V-Victoire ! proclama-t-il. Pourquoi t'a-t-on prénommée Victoire ? » Il s'attendait à une commémoration historique.

« Parce que je suis née après douze garçons. Mes parents voulaient tellement une fille qu'ils ont essayé treize fois. Je suis leur victoire ! »

Ernest se demanda si le douzième garçon s'appelait Défaite. Il soupira : « Douze frères ?! »

« Maintenant il y en a treize. Ma mère voulait tenter sa dernière chance pour une autre fille. C'est raté. Un garçon. Il a six mois. »

« C'est une armée », pensa Ernest. Tout l'après-midi, il n'arrêta pas d'imaginer Victoire entre treize garçons. Ça le déconcentrait mais il était si rodé à l'école que le travail se faisait tout seul. Victoire le suivait toujours. À la récréation, elle continua sa lecture par-dessus l'épaule d'Ernest. Les autres filles de la classe faisaient un cercle silencieux de hargne autour d'eux, mais le «couple», imperturbable, n'y fit pas attention.

Quand, à la fin de la journée, le maître remit à Victoire une tour biscornue de livres en lui disant de les couvrir pour le lendemain, elle planta la moitié dans les bras d'Ernest, avec cet ordre: «Tu m'accompagnes!»

Jérémie

Quand ils arrivèrent à la hauteur de son immeuble, Ernest voulut lâcher les livres et dire poliment : « Je ne peux pas aller plus loin. » Mais il y en avait réellement trop pour une personne et il possédait assez de bon sens pour comprendre : on ne laisse pas tomber un autre être humain dans le besoin. N'empêche qu'aller au-delà de la frontière de son habitude lui donnait froid dans le dos. Sa grand-mère ne le lui interdisait pas, mais ça faisait bizarre quand même. Il était étonné en dépassant son pâté de maisons de respirer encore, et que la foudre ne l'ait pas encore frappé. Sa grand-mère ne l'avait jamais puni ; il n'y avait pas de quoi.

Ernest passait d'étonnement en étonnement. Pas plus loin qu'à trois cents mètres de la maison qui l'emmurait depuis dix ans, chiens, enfants et autres espèces s'agitaient dans le vent et faisaient d'un coup vibrer l'esprit d'Ernest. Il se sentait pour la première fois audacieux, un chasseur urbain, un aventurier de son quartier, un héros presque.

Il suivit Victoire à travers un jardin public jusqu'à l'entrée de son immeuble qui bordait toute cette verdure. Il posa les livres devant le portail avec un: «Voilà!» Ce «voilà» était rempli du discours intérieur d'Ernest: «J'ai fait mon devoir de voisin, mon devoir de camarade de classe, mon devoir de citoyen, mon devoir d'être humain.» Le mot «devoir», Ernest le connaissait à fond.

«Non, mais…!» Victoire transféra sa propre pile dans les bras d'Ernest, se baissa pour ramasser l'autre tas et poussa le déménageur réticent devant l'ascenseur. La pile de livres tremblait, traduisant la peur d'Ernest. «J'irai à pied.»

«Tu es fou ou quoi? C'est au septième étage. Le septième ciel, dit Papa.» Elle le propulsa à l'intérieur de cette cage en fer forgé qui montait lentement par à-coups. Ernest ne respirait plus. «Les enfants ont le droit de prendre l'ascenseur?»

Victoire leva un de ses deux sourcils et ferma un de ses deux yeux pour réfléchir. «Pourquoi pas?»

Miraculeusement vivant à la sortie de l'ascenseur, Ernest reposa les livres devant la seule porte du palier avec un nouveau: «Voilà!» Mais avant qu'il puisse dévaler l'escalier, la porte s'ouvrit, encadrant un jeune homme avec un bébé dans les bras. Le bébé, tout souriant, tout gigotant, tendit ses bras vers Ernest, qui était pétrifié sur place.

«Prends-le, il te veut, lui commanda Victoire. C'est Jérémie.»

Jérémie, par sa propre volonté, se trouvait déjà accroché comme une sangsue au torse d'Ernest, qui se demandait si c'était ça la foudre qu'il attendait, et qui, subitement, sans avoir jamais appris non plus, eut une expression toute neuve qui marqua son visage d'un sourire fulgurant.

Jérémie l'entourait de ses deux bras potelés, l'étouffant presque. Personne d'autre au monde n'avait jamais serré Ernest dans ses bras. Il était effectivement au septième ciel.

«Ne reste pas là! Entrez!» lui dit le jeune homme.

«Je ne peux pas. Il faut que je m'en aille.» Il produisit un faible «au revoir» en descendant les marches.

«Eh... tu emportes le bébé avec toi?» lui cria Victoire.

«Oh, pardon! Je ne m'en suis pas rendu compte», dit Ernest en rebroussant chemin.

«Ouais, tu sais, un de moins...»

«Voilà! Je vous le rends!» affirma Ernest en essayant de décrocher le bébé qui se collait à lui avec une force obstinée.

«Entre!» lui répéta le grand gros.

«C'est mon frère aîné Dan, vingt-deux ans. Dan, Ernest, mon meilleur ami.»

Le mot «ami» bouleversa Ernest. Il les suivit dans l'entrée où attendaient des cartons immenses, puis dans un long couloir parfaitement adapté à l'activité qui s'y pratiquait, un slalom de patins à roulettes entre d'autres cartons. Trois patineurs disputaient un championnat improvisé. «C'est Zabulon, Naphtali et Asher, lui souffla Victoire, des pestes!»

Ceux-là étaient plus proches de leur âge. Ernest se demandait si c'était des noms africains. Il répéta à voix haute: «Zabulon, Naphtali, Asher?»

«Mes parents cherchaient un grand ensemble de noms. Ils avaient pensé aux rois de France mais ils ne pouvaient pas nommer tous leurs fils Louis. Ils savaient qu'ils voulaient beaucoup d'enfants alors ils se sont dit qu'ils allaient entamer les noms des douze tribus d'Israël sans savoir qu'ils allaient réussir à fournir les douze bonshommes pour les douze noms.»

«Ceux de la Bible?»

«Oui, tu connais?»

«Il y a une vieille bible chez moi, je l'ai parcourue, mais je n'ai pas retenu tous les noms.»

Ils arrivèrent à un grand salon au milieu duquel quatre autres tribus se battaient pour la télécommande. La télé, le seul objet hors de son carton, hurlait et eux aussi.

«C'est Gad, Benjamin, Éphraïm et Manassé.»

Le bébé était toujours dans les bras d'un Ernest ahuri quand il sentit dans sa main une chaleur liquide qui se mit à couler par terre comme les chutes du Niagara. Victoire le vit et gronda Dan: «Tu ne l'as pas changé depuis le siècle dernier ou quoi?»

«Je viens d'arriver. Demande à Juda. Il était de service.»

«Laisse tomber! On va le changer.»

Victoire demanda à Ernest de la suivre dans la chambre qu'elle partageait avec Jérémie à l'autre bout du vaste appartement. La pièce était un zoo en peluche avec des mobiles, des boîtes à musique et des jouets innombrables, le tout fraîchement sorti des cartons vides qui décoraient également la chambre surchargée. Ernest pensait à sa propre chambre de moine et se demandait comment Victoire arrivait à travailler là-dedans. Il plaça Jérémie sur une planche recouverte de mousse que Victoire lui indiqua et observa les gestes expérimentés de cette maman en miniature. Quand elle eut fini avec Jérémie, elle se mit à nettoyer Ernest, laissa le bébé parmi ses peluches géantes, prit la main d'Ernest et l'amena à la cuisine. L'appartement avait les proportions de la famille, des portes partout donnant l'impression de mille et une pièces. Devant une porte entrouverte, Victoire désigna un autre frère penché sur son bureau. «C'est Ruben, il travaille tout le temps. Le bac! Il est dispensé de bébé cette année.»

À la cuisine, il y avait Issachar et Simon en train d'éplucher une tonne de pommes de terre. Ernest ne fit pas le compte mais il lui sembla qu'un régiment entier se trouvait à cet étage. Victoire lui dit: «Ouvre la bouche!» en lui tendant une plaque marron foncé en caoutchouc. Là, Ernest n'obéit pas. «Il faut que je parte. Vraiment!»

«Mange du chocolat d'abord!»

«Non, merci.»

«Il faut que tu m'aides. Si tu manges la moitié de la tablette, j'aurai mon millième papier métallique pour ma collection. Goûte! C'est du 72 pour cent.»

«Non, vraiment, mon goûter m'attend chez moi.» Ernest recula en disant: «Au revoir.» Il entendit les hurlements de Jérémie abandonné. «Le bébé pleure», informa-t-il dans la cuisine.

«Ne t'en fais pas, il s'exprime. On est tous passés par là.» Victoire l'accompagna à la porte. Il y avait une chose, parmi beaucoup d'autres, qui perturbait Ernest. Il ne put s'empêcher de demander à Victoire: «Dis-moi, tu as des parents?»

Elle leva son sourcil et ferma un œil. «Mais… quelle question, bien sûr, tout le monde a des parents! Tu as bien des parents toi, non?»

«Non, je n'en ai pas», dit Ernest en s'enfuyant.

Précieuse

Ernest contempla la grille de l'ascenseur capable de le monter sans sueur au troisième étage. Malgré sa fatigue soudaine, l'habitude le poussa dans l'escalier, où il montait ses cinquante-sept marches avec sa tête étrangement décollée du reste de son corps. Il revoyait le bébé, Victoire, la horde des garçons, et il cherchait: est-ce possible pour une seule femme d'avoir tant d'enfants alors qu'une autre meurt à la naissance d'un seul pauvre gars? Quatorze enfants! Ça veut dire que la mère de Victoire a passé douze ans et demi enceinte, avec au moins cinquante-six mois dans un état d'obésité épouvantable. Mais pas seulement ça. Ernest pensait au contenu lamentable des couches de

Jérémie multiplié par quatorze. Comment habiller tout ce monde, les nourrir, les élever? Avec ça, les parents n'étaient même pas à la maison pour surveiller. «Ils travaillent», lui avait dit Victoire. Il fallait bien, même s'ils ne mangeaient de toute évidence que des pommes de terre.

Ernest entra, posa son cartable dans sa chambre, jeta un coup d'œil sur la pomme et la biscotte qui l'attendaient, impassibles, fit un crochet devant la chambre de sa grand-mère. Tout était pareil, elle ne s'était peut-être pas rendu compte de son retard, mais il était trop honnête. Il chuchota, sans vouloir risquer de la réveiller: «Je suis rentré, Grand-Mère. J'ai eu du retard.» Puis il fit un autre crochet −c'était un jour de crochets− dans le salon où la boîte contenant la lettre le narguait. Et comme une révélation, il calculait: «Je connais maintenant d'un coup quatorze personnes, plutôt treize, qui peuvent m'aider à déchiffrer la lettre.» Pour la deuxième fois en une seule journée, un sourire lui tomba du ciel. Il mangea sa pomme avec appétit, fit ses devoirs rapidement et avec entrain, mais, arrivé à son moment habituel de récréation, ses yeux se figèrent dans son livre, sans pouvoir parcourir les lignes, l'alchimie inexplicable qui transforme ces symboles sur papier en des émotions au cœur ne marchait plus. Les mots étaient de plomb sans les plumes qui les aidaient à filtrer à travers le cerveau. Les phrases stagnaient. Il tenta de les lire et de les relire, mais sa tête était trop pleine des événements de cette journée. Par-ci par-là, un mot dans son livre était associé à une circonstance de la journée : « frère », « ami » n'avaient jamais eu de résonance pour lui jusque-là. C'est quand il tomba sur le mot « viol » qu'il eut l'idée que Victoire l'avait violé. Sans lui demander son avis, elle en avait fait son esclave. Un vrai chef, un quartier-maître. Tu marches ou tu meurs. Et Ernest, qui ne pouvait plus s'arrêter, eut son troisième sourire. « Vive les chefs ! »

À 20 heures, sa grand-mère n'était pas encore venue dans le salon. Ernest était alarmé. Était-ce la foudre qu'il attendait ? Et si elle était morte ? Il mit quelques secondes avant d'avoir le courage de frapper à sa porte, et au moins une minute entière avant d'entrer. Sa grand-mère était assise sur le lit, les pieds par terre, comme une somnambule, avec une enveloppe à la main. En voyant Ernest, elle sembla se réveiller. Son premier geste fut de dissimuler l'enveloppe sous son oreiller au milieu de toute une pile de lettres.

« Grand-Mère, il est 20 heures. »

Sa grand-mère hocha la tête, bascula sur ses jambes et se mit difficilement en route. Elle brancha la radio, qui cracha sa dose de tremblements de terre, feux de broussailles, famines et guerres civiles. Elle l'éteignit et Ernest chauffa la soupe. Pour la première fois, il eut envie de lui dire comment s'était passée sa journée. Elle ne le lui avait jamais demandé. Les journées viennent et s'en vont, se passant comme elles se doivent. On fait ce que l'on doit faire. Sans plus. Ernest eut brusquement envie de plus. Et parfois il faut provoquer un léger plus.

« Grand-Mère », dit-il, sans savoir comment il allait lui annoncer sa nouvelle. Elle, Précieuse, le trouvait agité. La soupe ne semblait pas le tranquilliser. «Mais il a grandi. Il est beau, pensa-t-elle, et il ressemble de plus en plus à son père.» Elle poussa un soupir qui faillit empêcher Ernest de poursuivre son projet. Il ne savait pas, parmi tout ce qu'il aurait aimé lui demander et lui dire, quoi choisir. Il opta pour le plus anodin, bien que déconcertant. Avait-elle le droit de connaître ses bêtises, ou fallait-il les lui épargner? Il avait besoin de lui dire.

«Grand-Mère, aujourd'hui je ne suis pas rentré directement de l'école. J'étais obligé de rendre service à une camarade de classe. En l'accompagnant chez elle, nous avons traversé un grand jardin tout près d'ici. Est-ce que vous le connaissez?»

Elle fit un signe de tête affirmatif.

«C'est très beau. Grand-Mère, est-ce que ça vous arrive de sortir des fois quand je suis à l'école?»

Elle baissa les yeux et dit tout bas «non». En fait, Ernest savait qu'elle ne sortait jamais. Et il se sentit coupable maintenant qu'il avait eu l'idée. Il n'était pas sûr que sortir était nécessaire pour la santé. Il ne savait pas si sa grand-mère était, bien que vieille, en bonne santé. Quand elle ne se sentait pas bien, elle se couchait et dormait. Quand Ernest avait un rhume, mal à la gorge, mal aux oreilles, elle lui donnait une aspirine. Il n'avait jamais manqué l'école. Elle n'avait jamais fait venir le docteur. Les maladies passent… comme les jours.

Il conçut le projet de sortir sa grand-mère. « Je n'ai rien fait pour elle, pensa-t-il. Et je ne sais rien d'elle. »

L'image d'elle assise immobile sur le lit le poussa à demander : « Grand-Mère, qu'est-ce que vous faites toute la journée ? »

Précieuse dévisagea son petit-fils comme si elle avait avalé de travers ou comme si quelque chose s'était détraqué dans leur routine muette. Ils n'avaient certainement pas l'habitude de parler et les mots étaient tellement enfoncés, tassés, bouchés en elle qu'ils semblaient scellés. Les mots, s'ils ne coulent pas en un jet perpétuel, se gèlent, ces mots qui sont les messagers de l'âme. « Qu'est-ce que je fais toute la journée ? Je survis. Activement. » À Ernest elle dit : « Rien. Je me repose. »

«Mais Grand-Mère, on se repose après un travail.» Il pensa à ce que le maître avait dit, que celui qui ne fait rien devient faible, malade et fou.

«Je me repose de la vie. Je réfléchis.»

«Vous réfléchissez à quoi, Grand-Mère?»

«À mes morts.»

Ernest n'était pas content de cette réponse car on meurt à passer toute sa vie avec les morts. «Les morts sont morts, Grand-Mère. Ils ne vont pas revenir.»

«Il ne faut quand même pas les oublier.»

«On peut se souvenir d'eux en faisant autre chose, n'est-ce pas?»

Sa grand-mère semblait surprise de son point de vue.

Il ne voulait pas être impertinent. Grâce à elle, il avait un toit, de la nourriture, des vêtements et des livres, mais c'est sorti malgré lui: «Est-ce que vous pensez à moi?»

«On pense plutôt à ceux qui ne sont pas présents. Toi, tu es là, tu t'en vas le matin, tu reviens, tu fais tes devoirs, tu ne me causes aucun mal.»

C'est avec regret qu'Ernest se dit : « Je ne te fais aucun bien non plus. »

Il y avait une question qui lui brûlait les méninges, mais il n'osait pas l'aborder. Sa grand-mère s'était un peu réveillée. Sur le qui-vive, même un peu traquée, elle attendait une nouvelle devinette. Il contempla la toile que l'araignée du temps avait tissée sur son visage comme si ces lignes pouvaient donner la réponse à son énigme.

« Ernest, je prendrai encore un peu de soupe », dit-elle pour prolonger ce moment. Ernest, confondu par cet appétit inattendu, se leva, puis se rassit, mit les coudes sur la table, reposa son menton sur ses mains et posa sa question :

« Grand-Mère, est-ce que mon père est mort ? »

Germaine

« Ton père n'est pas mort. » La phrase de sa grand-mère claironnait dans sa tête et l'empêchait de dormir. Ernest n'osa pas poser les autres questions qui le tourmentaient : « Alors, où est-il ? Pourquoi ne vient-il pas me voir ? Pourquoi n'écrit-il pas ? » Ces questions collaient aux dents qu'il brossait, aux cheveux qu'il peignait, aux yeux qui le narguaient dans le miroir.

Germaine s'était discrètement installée dans la cuisine, où elle lavait les deux assiettes de la veille. Les bols étaient sur la table. Grand-Mère était assise. Ernest offrit aux deux dames son bonjour habituel au moment où la sonnette, qui ne sonnait strictement jamais, retentit à réveiller les morts et à semer une panique sans pareille sur les visages impassibles des deux femmes.

« J'y vais ! » annonça Germaine, stoïque.

À peine avait-elle ouvert la porte que Victoire jaillit dans le vestibule, se dirigeant d'instinct vers la cuisine.

« Salut ! Je suis Victoire de Montardent, l'amie d'Ernest. »

Germaine fut obligée de la suivre, impuissante dans ses efforts pour arrêter ce bulldozer ou lui bloquer le passage.

Victoire posa avec fougue un sac de croissants, brioches et pains au chocolat sur la table : « Papa a dévalisé la boulangerie ce matin. On en avait trop. J'en ai chipé quelques-uns et j'ai décidé de venir les manger chez vous avant d'aller à l'école avec Ernest. » Totalement inconsciente de l'effet qu'elle faisait, Victoire poursuivit : « Comment allez-vous ? Avez-vous fait de beaux rêves ? Moi, j'ai rêvé de toi, Ernest. On était grands, amoureux et on allait se marier. Je n'en sais pas plus. Jérémie s'est réveillé en hurlant. Je pense qu'il rêvait de toi aussi. » Victoire n'avait pas besoin d'encouragements pour continuer à parler toute seule, sauf qu'elle dut reprendre haleine et en profita pour saisir une grosse brioche, qu'elle remit immédiatement dans le sac.

« Servez-vous ! » commanda-t-elle en tendant le sac. « Ce n'est pas bien élevé de me servir la première. Maman dit que si elle réussit à nous élever sans catastrophes, c'est tout ce qu'elle demande. *Bien* nous élever c'est trop demander. »

Germaine et Précieuse étaient stupéfaites et comme gelées sur leurs sièges. Ernest, qui, lui, tentait d'être bien élevé, prit un croissant dans le sac tendu, l'inspecta comme s'il avait été produit par des extraterrestres, puis, sans regarder les deux gardiennes de sa bonne nutrition, par politesse, il enfonça courageusement l'objet doré et croustillant dans sa bouche, s'attendant à mourir sur-le-champ.

« Mais, c'est tiède. C'est délicieux », déclara-t-il en utilisant ce mot qui n'était que théorique jusque-là. « Goûtez-en, Grand-Mère, vous verrez. »

«Je connais», dit-elle sèchement.

«Goûtez-en, Germaine.» Germaine, qui ne voulait pas céder, craqua tout de même pour un énorme pain au chocolat. Pour se donner bonne conscience, elle mit d'office la brioche sous le nez de sa patronne en disant: «Mangez... pour une fois...»

«Vous avez du chocolat chaud?» demanda Victoire.

«Nous avons de la chicorée», répondit Germaine, supérieure.

«Bon, tant pis, je prendrai un verre de lait froid.»

«C'est mauvais pour la digestion», l'avisa Germaine.

«Mais ça fait grandir.»

«Voulez-vous grandir plus vite, mademoiselle?»

«Oui, pour me marier avec Ernest!»

Un étrange plaisir se faisait sentir dans les entrailles d'Ernest, et une gêne grandissante. Sa grand-mère et Germaine étaient silencieuses, mais éveillées, comme si la curiosité, cette étincelle de vie, avait finalement pénétré dans cette antichambre du cimetière qu'ils habitaient. Une porte s'était ouverte.

Ernest regarda l'horloge, alarmé. «Il faut que nous partions. Il est tard.» Il avait toujours pris son temps, sans jamais se dépêcher.

«Bon! Au bagne maintenant! s'exclama Victoire. À propos, n'attendez pas Ernest à midi. Il est invité chez nous. Maman reste à la maison aujourd'hui et elle veut rencontrer l'homme de ma vie. On va manger une fondue bourguignonne. J'adore! C'est moi qui ai fait le menu. Et puis, après la classe, comme je ne suis pas de service bébé, je viendrai faire mes devoirs ici. Ça me reposera! D'ac Mac? On y va!» Elle fonça sur Grand-Mère et Germaine et fit quatre bisous identiques sur leurs joues flasques. Emporté par son élan, Ernest fit pareil... pour la première fois de sa vie!

Ernest ne marcha pas de son pas régulier; il ne courut pas non plus. Il suivit Victoire en battant de ses ailes toutes neuves.

Il ne voyait pas la hargne des filles de la classe qui aiguillaient leur foudre vers Victoire. Mais Victoire les voyait et ce n'était pas une victoire. Elle lut les lettres anonymes déposées sur sa table : « On le connaissait avant toi ! Méfie-toi ! » « Gare à toi, garce de Montardent, lâche Ernest ! » « Chipie ! Harpie ! Ernest est à nous. » Elle répondit patiemment à chaque mot avec la même explication : « Ernest, je l'aime. C'est tout. C'est comme ça. On n'y peut rien. En plus, je le comprends et je veux son bonheur. Nous allons nous marier dans treize ans, huit mois et trois jours. Je vous invite. »

Ernest, lui, continua à faire son travail au-delà des exigences, sauf qu'il y mettait encore plus de cœur, depuis qu'il avait découvert qu'il en avait un. Ce cœur endormi qui se mit à s'étirer, ce cœur taciturne qui se mit à rigoler, ce cœur aphone qui émit de nouveaux sons, ce cœur posé qui posa des questions, ce cœur était désormais lié par un fil presque visible à sa voisine victorieuse, impérieuse, impétueuse et très, très rieuse.

Il ne proteste pas quand ils passent devant son immeuble et qu'elle le pousse à avancer.

« Tu aimes la fondue bourguignonne ? »

« Je ne sais pas. Je n'en ai jamais mangé. »

« Tu aimes le *chili con carne* ? » Victoire répondit à sa propre question, se moquant de lui : « Je ne sais pas, je n'en ai jamais goûté ! T'en fais pas, Ernest, je me charge de ton éducation culinaire, mais ça m'aiderait si tu te décidais à aimer le chocolat. J'aimerais avoir deux mille papiers métalliques de tablettes de chocolat d'ici l'an 2000. »

Ernest aurait aimé lui dire ce qu'il pensait ironiquement : « C'est une grande ambition humanitaire. » Aimer, ce n'est pas toujours approuver.

Jérémie lui fit une cascade de sourires. La maman de Victoire aussi. « Je te présente Maman. » Elle voulait dire « ta future belle-mère » mais, cette fois, un brin de pudeur la retint.

Ernest – où avait-il appris la courtoisie ? – dit suavement : « Bonjour, madame de Montardent, merci de m'inviter à déjeuner. »

« Tu peux m'appeler Catherine. Excuse mon apparence. Je défais les cartons depuis des semaines. Je suis épuisée, mais ne t'en fais pas, c'est mon état naturel.»

Ernest observait cette femme qui avait passé douze ans et demi de sa vie enceinte, qui avait eu quatorze accouchements, peut-être un record du monde, et qui, malgré cela, avait l'air tout à fait normale, alors que sa mère à lui n'avait pas survécu à un seul. Catherine n'était ni jeune ni vieille — Victoire lui avait dit quarante-cinq ans. Elle travaillait, d'après sa fille, dans un ministère «ou quelque chose comme ça». Son père aussi. Ils s'étaient rencontrés quand ils étaient étudiants en sciences politiques. Ernest se demanda où s'étaient rencontrés ses propres parents inconnus et de quel genre d'amour il était né. Les questions surgissaient de plus en plus, provoquées par cette multiplication d'êtres autour de lui. Victoire ressemblait à sa mère, avec ses cheveux noirs retenus par un bandeau rouge, mêmes yeux de feu, mêmes joues haut perchées sur un visage expressif.

La maison était vidée de tous les frères sauf le bébé. Une dame mit la casserole d'huile bouillante au milieu d'une table immense et eut un «Merci, Jeannette» comme récompense.

«Qu'est-ce que tu penses de la fondue?» lui demanda Victoire, qui lui dicta la réponse par son ton enthousiaste. Ernest pensait plutôt au dégoût de Germaine qui aurait eu horreur du crépitement de l'huile chaude (l'huile, l'ennemi numéro un), et des six sauces dans lesquelles on trempe les morceaux de viande (la sauce, ennemi numéro deux), et de la montagne de viande rouge (viande rouge, ennemi numéro trois). Ernest répondit diplomatiquement: «C'est sportif de manger une fondue. Comment faites-vous quand tout le monde est là?»

«Tout le monde n'est jamais là en même temps, dit Catherine. Mais si on est plus nombreux, on ajoute des casseroles.»

«Oui, c'est bon, c'est intéressant», dit Ernest au fur et à mesure que les morceaux de viande disparaissaient, «je vous remercie.»

Victoire écrasa une banane pour Jérémie, puis la tendit à Ernest. «Je t'accorde le privilège de la lui donner... mais seulement si tu goûtes mes truffes au chocolat.» Ernest goûta en continuant son calcul mental : «Le sucre, ennemi numéro quatre.»

Avant leur départ, Catherine embrassa chaleureusement son invité en lui rappelant : «Viens manger quand tu veux.»

«Il y a peut-être déjà assez de bouches à nourrir ici.»

«S'il y en a pour seize, il y en a pour dix-sept!»

«Je vous remercie, c'est très gentil, mais Grand-Mère est seule.»

«Amène-la. Plus on est de fous...»

Ernest, et ça devenait courant, souriait. Victoire avertit sa mère qu'elle rentrerait plus tard ce soir. Jérémie hurlait.

Après la classe, surprise, il y avait deux pommes sur la table. Ernest invita Victoire à s'asseoir. Elle dévora son fruit : «Qu'est-ce que ça peut être bon, une pomme! Il faudrait essayer avec du chocolat!»

« On va s'installer ici pour faire les devoirs. »

« Il faut tout m'expliquer. Je n'ai rien pigé. » Ernest lui expliqua calmement le problème de maths, les exercices de grammaire, le vocabulaire, en découvrant la satisfaction de transmettre ce qu'il avait compris.

« J'ai beaucoup de retard », confia Victoire.

« Tu rattraperas, tu apprends vite. »

« Espérons-le. Mes frères n'ont jamais eu le temps de m'expliquer quoi que ce soit. Ils me disent que je suis une cruche ! Bon ! Oublions tout ça. On a fini. Viens voir la télé maintenant. »

« Il n'y a pas de télé. » Il jeta un coup d'œil en direction de l'armoire où se trouvait la lettre. Il avait envie de la lui montrer, mais Grand-Mère entra à ce moment-là pour leur dire bonsoir.

Alphonse

Dimanche matin, la grand-mère d'Ernest n'était pas au rendez-vous tacite à la table de la cuisine. «C'est la deuxième fois en peu de temps», pensa Ernest. Elle n'était pas un compagnon drôle, mais Ernest ne pouvait pas imaginer sa vie sans elle. Il y avait pour lui un certain confort à la retrouver tous les soirs et tous les matins. Quand il rapportait ses bulletins, elle mettait sa main sur la tête d'Ernest, un peu comme on caresse un chien. C'est tout ce qu'il pouvait lui apporter du monde extérieur, ses bonnes notes. Et maintenant Victoire! Et la brioche. Soudain il eut peur de la découvrir inanimée sur son lit.

Il frappa à la porte de sa chambre. Quel soulagement d'entendre son frêle «oui». Il entra. Elle était couchée avec la même pile de lettres sur ses genoux. Elle tenta de les cacher vite sous son oreiller, mais elle ne faisait rien très vite.

Ernest s'approcha du lit, rigide comme un simple soldat devant son lieutenant, mais déterminé par la peur qu'il venait d'avoir, et dit: «Grand-Mère, nous nous connaissons depuis dix ans, la totalité de ma vie, et je ne sais rien de vous, de notre famille, de ma mère, de mon père... à part les portraits de ces inconnus sur les murs. Lui, par exemple.» Il montra du doigt la grande photo d'un homme sérieux et grave, entre trente et quarante ans, très beau, un peu arrogant comme quelqu'un qui pose pour l'éternité.

À sa surprise, sa grand-mère répondit simplement, comme si cette seule question était une clef qui ouvrait la porte de la parole: «Lui, c'est ton grand-père, mon mari, Alphonse. Nous n'avons vécu que huit ans ensemble. Il est mort sur le champ de bataille en 1940. Ton père est né après. Il n'a jamais connu son père.»

« Comme moi. »

« Comme toi. »

Mais au lieu de penser à lui-même, il dit : « Vous avez eu une vie très dure, Grand-Mère. »

« Plus la peine est profonde, moins on peut le dire. »

« Mais qu'est-ce que vous pouvez me dire sur Alphonse ? » Il dit « Alphonse » pour arriver lentement à Gaspard, son père.

« Il n'existe pour lui rien d'autre que des superlatifs. Il n'a pas eu le temps de me décevoir. » Elle cherchait ses mots. « Il était grand et grandiose, distingué… intelligent, brillant, majestueux, et très, très beau… comme toi ! » Elle ajouta d'une voix inaudible : « Comme ton père. »

« Beau, c'est juste l'extérieur, ce n'est pas important. Dites-moi plutôt comment il était. »

« Il était un chasseur impitoyable de la vérité. Il voulait comprendre le fond des choses. Il ne se racontait jamais de mensonges. Il réfléchissait tout le temps. »

« Et ces lettres, Grand-Mère, que vous lisez au lit ? »

«Je les connais par cœur, Ernest. Ce sont des lettres d'amour qu'Alphonse m'écrivait ici à la maison. Il était trop pudique pour me le dire, alors il m'écrivait.»

«Ça fait plus de cinquante ans qu'il est mort. Vous vous le rappelez toujours?»

«Oui, très bien, tous les jours, toutes les minutes... mais je ne peux pas le toucher. Et il ne peut pas me toucher.»

«Et mon père?» demanda Ernest, sachant instinctivement qu'il avait dépassé les bornes, comme si on avait le droit de parler des morts, mais pas des vivants. Sa grand-mère fit la sourde oreille.

«Voulez-vous que je vous apporte le petit déjeuner?»

«Non, ce n'est pas nécessaire, je vais me lever maintenant. Tu peux faire chauffer le lait.»

Jamais ils n'avaient échangé autant de mots, comme si sa grand-mère avait obéi au dicton: «La bouche est une porte, elle doit rester fermée.» Ernest avait trouvé, avec ses questions, une clef à la porte, et il vit que cela faisait du bien à sa grand-mère d'entrouvrir la porte. Et à lui aussi. Elle avait l'air plus jeune, moins fragile.

De la fenêtre de la cuisine, Ernest vit un bout de ciel bleu et une envie folle le saisit.

« Grand-Mère, dit-il, est-ce que l'argent nous manque ? »

« Pourquoi tu me demandes cela ? »

« Nous vivons d'une façon austère. »

« Nous avons de quoi vivre, Ernest. Mais il faudrait pouvoir vivre... »

« Grand-Mère, il fait beau. Habillons-nous et sortons. Nous irons dans ce beau jardin et puis au restaurant au coin de la rue. »

Ahurie, sa grand-mère soupira : « Oh, je ne pourrai pas. Je suis vieille, Ernest. Et fatiguée. Et tu as des devoirs. »

« Grand-Mère, j'ai fait mes devoirs hier. » Son espoir subit était essoufflé mais il insista encore un peu : « Venez, Grand-Mère, ce n'est pas normal de rester enfermée dans un appartement sombre. » Il répéta les mots de Victoire : « L'énergie, c'est comme l'appétit, ça vient en mangeant. »

«Germaine nous a laissé de quoi manger. Il ne faut pas le gaspiller… et puis c'est au-delà de mes forces.»

«Grand-Mère, il faut vivre… avant d'être morte.»

Précieuse ne dit plus rien. Elle finit son petit déjeuner en silence et sortit de la cuisine.

Ernest, déçu, s'habilla et prit place sur le canapé ancien avec un livre, comme d'habitude, mais l'habitude était visitée par une pointe d'amertume. Il avait du mal à suivre les mots dans son livre, tellement son cerveau était noyé dans une brume de chagrin.

Quand sa grand-mère surgit avec son manteau noir, son chapeau noir et un sac à main digne d'une sorcière, elle lui dit: «Tu ne me demandes jamais rien. Je peux bien faire ça pour toi… pour une fois.»

Ernest ferma son livre avec jubilation, mit son manteau et prit sa grand-mère par le bras. Ils formaient un couple étrange, comme sorti du livre qu'il venait de fermer, un livre d'un autre siècle.

Le lendemain, un lundi gris qui avait tout oublié de l'éclat du dimanche, on aurait dit que le maître avait la gueule de bois. Il était grincheux et revêche, même vis-à-vis d'Ernest. Au lieu d'entamer la semaine comme d'habitude avec M. Bled, il sortit de sa manche un de ces tours que les profs paresseux réservent pour des cas d'extrême paresse et distribua des feuilles. Sans même daigner parler, il marqua sur le tableau : «Dimanche» en mimant «écrivez!» Bon, ce n'est pas tous les jours drôle d'être maître d'école.

Ernest était aux anges parce que pour une fois il avait quelque chose à dire et il n'avait pas besoin de se fatiguer à inventer une vie. Il fit un sourire à Victoire, prit son élan, posa son stylo à gauche de la première ligne et le fit courir du haut en bas de la page comme s'il participait à une course de formule 1. Et il fut le gagnant, car, quand il gara son stylo après le point final, il vit que les autres peinaient encore. Le maître était à son bureau, la tête coincée entre ses deux mains, comme pour l'empêcher de tomber par terre. Victoire écrivait frénétiquement. Elle avait de la chance, elle. Elle pouvait remplir une page rien qu'avec les prénoms de ses frères. Quand le maître ramassa les copies, il avait l'air un peu plus en forme. Selon son habitude, il mit celle d'Ernest en haut pour la lire en premier, afin de se donner le courage de lire les autres. Il lut à voix haute:

Le dimanche du couscous

Je n'ai jamais été au restaurant de ma vie. Je ne suis jamais sorti le dimanche. Je n'ai jamais mangé de couscous. Ma grand-mère n'a pas quitté l'appartement depuis que je la connais. Le jour où on efface un «jamais» est un grand jour. Le jour où on efface au moins trois «jamais» pour mettre à la place des premières fois est triplement grand.

Hier, je suis sorti avec Grand-Mère, au restaurant du coin de notre rue, pour manger un couscous.

Le couscous est une spécialité culinaire d'Afrique du Nord, préparée avec de la semoule de blé dur. Le patron du restaurant l'a apporté cérémonieusement à table en quatre parties. Il y a :

1) le couscous,
2) le bouillon et les légumes,
3) la viande,
4) une sauce relevée.

Le mode d'emploi est le suivant : on forme une petite colline avec la semoule du couscous dans son assiette creuse, sur laquelle on dispose les légumes formant un paysage de carottes, de navets, de poireaux et de minuscules pierres qui sont des pois chiches. On se sert de la viande aussi et on mouille le tout avec le bouillon. Si on a du courage, on peut mettre de la harissa, rouge de piments, qui brûle de la chaleur des pays où vit le soleil.

Grand-Mère avait peur de se lancer, mais elle a pris le rythme. Chaque bouchée est une surprise. Et ça fait plaisir de sentir ces parfums lointains et d'être pénétré par ces goûts chaleureux en plein hiver. Le plaisir donne de l'énergie et du courage. On voit les effets sur Grand-Mère qui, habituellement silencieuse, se mit à parler. Elle parla des guerres et des morts, de la peine et de la perte, mais il vaut quand même mieux faire vivre les morts que les laisser mourir tous les jours un peu plus. Chaque fois que l'on en dit un mot de souvenir, on les fait vivre ne serait-ce que d'une larme.

Et même nous, les vrais vivants, des malvivants, le couscous, ça a l'air bête, mais le couscous m'a donné le soupçon que l'on peut toujours apprendre à vivre, mais il faut un bon maître et beaucoup de force. J'ai très envie d'avoir cette force, et d'apprendre non seulement des techniques qui aident, comme lire et écrire, mais d'apprendre à vivre, parce qu'après on est mort et c'est trop tard.

Grand-Mère a eu du mal à payer. Elle a trouvé ce repas cher et on dirait que les sous ça fait partie de sa peau et de ses tripes. Elle a relu l'addition cinq fois avec ses petites lunettes en demi-lune. Elle m'a demandé de vérifier.

En rentrant à la maison, nous sommes passés par le jardin. On aurait dit que Grand-Mère l'avait connu dans une autre vie. Certes, elle l'a connu parce qu'elle a toujours habité là. Elle est allée directement sur un banc comme si elle en était la propriétaire. Nous nous sommes assis sans parler, selon notre habitude. Mais la parole nous entourait comme une douce promesse en souvenir de ce repas exceptionnel partagé, un moment relevé dans une vie fade. Au retour, passant devant le restaurant chinois de l'autre côté de notre rue, j'ai dit à Grand-Mère : « Ce sera pour un autre dimanche. » Et Grand-Mère a répondu : « Chaque chose en son temps. »

Il y avait un silence dans la classe et Ernest avait honte de s'être tant livré. Victoire prit la main qu'il avait posée sur ses genoux. Elle la leva pour la frotter contre sa joue à elle.

Et Ernest se rappela qu'hier, pour la première fois, ils n'avaient pas sorti la lettre de sa cachette.

Dan

La promesse du dimanche suivant s'est dégonflée. Une journée où tous les tons de gris complotaient pour faire un tableau sombre. Le soleil et l'animation de l'autre dimanche étaient aussi enfermés dans leur souvenir que la lettre dans sa boîte. La grand-mère d'Ernest était aussi grise que le ciel et Ernest avait du mal à contenir les désirs qui s'infiltraient dans ses rêves éveillés.

Néanmoins, la journée se passa, minute par minute, déroulant l'histoire écrite bien avant la naissance d'Ernest. Ils prirent en silence un déjeuner qui ne méritait pas de commentaire. Rien ne vint ébranler les murs qui cachaient cette vie qui n'en était pas une. Les mots n'avaient pas de nageoires au fond de la mer noire des pensées perdues.

La lettre sortie, aérée, resta aussi hermétique. Que voulaient-ils qu'elle dise ? La lettre même avait perdu sa saveur auprès d'Ernest. Qu'est-ce qu'elle allait changer ? Ce n'était qu'une énigme de plus dans cette maison aux mille voiles. Ernest avait même cessé de chercher des indices sur son père.

Heureusement que les lundis surviennent régulièrement, fidèles, fiables, et avec le secours de l'ami lundi arrive l'école, qui permettait à Ernest de s'activer un peu plus. Il n'avait jamais fait partie d'une bande, il n'avait jamais joué avec les garçons de sa classe. Il n'était que la proie de l'amour des filles. On ne lui demandait rien, à tel point que même le clan des durs s'écartait de lui par respect, par crainte. Mais, depuis l'arrivée de Victoire, Ernest semblait moins intouchable et on commençait à lui adresser la parole.

À la sortie des classes de ce lundi hivernal, Dan et Simon attendaient Victoire devant l'école dans le minibus familial.

«On est de corvée pour les courses, aujourd'hui. Il faut que tu nous aides, Ernest. On va à Bercy.»

«Bien volontiers, mais il faut que je prévienne Grand-Mère.»

«On va passer devant chez toi et tu iras vite lui dire.»

Ernest n'était jamais encore monté dans une voiture et rouler était un tout nouvel amusement pour lui. Il n'était encore jamais entré à l'intérieur du moindre petit magasin et cet hypermarché lui sembla être une autre planète. Dan lui donna une pièce de dix francs pour le chariot. Ernest observa attentivement les manœuvres de Victoire, Dan et Simon. Victoire lui expliqua: «Il nous faut quatre chariots. On représente l'équivalent de quatre familles, tu piges?»

«Voici ta liste», lui dit Dan en lui tendant une feuille couverte de noms d'articles. «Rendez-vous à la caisse dans quarante-cinq minutes.»

Ernest avait déjà la tête qui tournait mais il aurait aimé passer des heures à étudier les objets, les boîtes, les paquets, les sacs, les chiffres qui indiquaient le prix des choses. Il avait déjà visité un musée avec sa classe, mais ce musée-ci était encore plus passionnant. Il y avait tant à voir... mais il fallait faire vite. Trois cartons de six briques de lait demi-écrémé, six douzaines d'œufs, deux paquets de couches-culottes. Il s'y mit comme il faisait tout, avec diligence et application. Son efficacité, même dans ce pays étranger qu'était l'hypermarché, le poussait à arriver en bas de sa liste avant la fin du délai. Il se dirigea vers le rayon librairie comme vers une terre connue. Appuyé sur son chariot, il lisait les titres sur les couvertures multicolores perchées sur leurs présentoirs. Ses yeux s'envolaient de livre en livre et c'est seulement le choc avec un autre chariot qui le ramena sur terre. Encore heureux que ç'ait été le chariot de Dan débordant des produits les plus divers. Dan ramassa les paquets de céréales, les boîtes de maïs, les sous-vêtements tombés en disant distraitement: «Rendez-vous comme prévu.»

Ernest poussa son chariot vers la table centrale, où les livres «vedettes» étaient empilés. Là il fut attiré, non pas par un titre, mais par le nom d'un auteur. Ses yeux transperçaient la couverture. Paralysé sur place, il le fixa jusqu'à ce qu'il décide de saisir le volume. C'était certainement un endroit inattendu pour faire cette rencontre, un jour où il ne demandait rien à personne, rien à la vie, sauf de se lever, d'aller et venir, de s'asseoir, de manger, de marcher, d'écrire, de lire et de se coucher.

Il le tournait et le retournait, lisait la quatrième de couverture sans la lire, feuilletait du début à la fin, puis de la fin au début. Il le frotta contre son front, le serra contre sa poitrine, sans se rendre compte que ce n'était que du papier, sans imaginer qu'il n'avait pas de quoi l'acheter. L'acheter n'était même pas nécessaire. Ce livre, de toute façon, lui appartenait.

Il se laissa glisser par terre pour contempler le livre à son aise. C'est ainsi que Victoire le trouva. Complètement essoufflée et affolée, elle dit : « Ça fait dix minutes qu'on t'attend. Tu veux empêcher la famille Montardent de manger ce soir, ou quoi ? »

Ernest leva la tête, mais sans plus. Il savait à peine où il était et ce qu'elle lui voulait. Son chariot s'était égaré, poussé à gauche et à droite par les consommateurs pressés. Victoire lui tendit ses deux bras: «Attrape!» lui dit-elle comme à un bébé en essayant de le soulever. Ernest se réveilla brusquement de sa confusion et mit le livre sous les yeux de Victoire. Victoire, qui s'intéressait plus aux titres, lut à voix haute: *La Grande Guerre – les leçons des pères*. Elle ne fit pas attention à l'auteur. «Toi et les guerres, Ernest. Il y a autre chose dans la vie que les guerres! Viens! Mes frères perdent patience!»

Ernest agrippa le livre, empoigna le chariot qu'il rattrapa au bout du rayon papeterie, et courut avec Victoire vers la caisse 26, comme s'il avait des patins à roulettes.

Simon était en train de transvaser les articles du chariot au tapis de la caisse et Dan du tapis au chariot. Victoire ajouta la marchandise d'Ernest. Les clients derrière eux s'impatientèrent quand le trio introduisit Ernest en passant devant eux. Victoire expliqua simplement: «C'est la première fois qu'il fait des courses.» Pour l'excuser, elle ajouta: «Il est très bon élève, mais il est nul en shopping.»

Dan paya la somme astronomique du contenu des quatre chariots. «Vous avez un restaurant?» lui demanda la caissière.

«Non, si vous voulez vraiment savoir, je suis l'aîné de treize frères et une sœur et, par une étrange nécessité, tout ce monde mange au moins trois fois par jour.»

«Vous plaisantez!» lui dit la caissière.

«Non, pas du tout. Quand mes parents m'ont vu, si beau, si intelligent, si parfait, ils ont dit: "Il faut en faire treize autres comme lui!" Malheureusement, les autres sont un peu ratés», dit-il en montrant du doigt Victoire et Simon. La caissière, jolie rousse ultramaquillée, était captivée par l'orateur. Dan, loin d'être parfaitement beau, était plutôt petit, gros, avec le front qui se dégarnissait prématurément. Ça lui donnait un air plus vieux que ses vingt-deux ans. N'empêche qu'il avait beaucoup de succès auprès des femmes, qui aimaient son humour, sa chaleur, son charme.

Mais lui, il n'aimait que Milène, son amie étudiante en maîtrise d'histoire comme lui.

Quand le dernier sac fut casé dans le chariot, Ernest suivit le cortège, et la caissière lui cria : « Eh, le livre, tu comptes le voler ou quoi ? »

Ernest regarda Victoire, qui savait qu'il n'avait pas un centime. Dan prit le livre et lut le nom de l'auteur : « Gaspard Morlaisse… c'est un parent à toi ? »

« C'est mon père… je pense. »

« Il est très connu comme type. Il est sur ma bibliographie de maîtrise. Ça m'intéresse. Je vais l'acheter et je te le prêterai. »

Doit-on vraiment acheter le livre de son propre père ? Était-ce son père ? Pouvait-il y avoir plusieurs Gaspard Morlaisse ? Ernest, qui jusque-là n'avait pas vraiment eu de père, pouvait-il d'un coup se dénicher un père célèbre ? Il était tellement occupé à se poser des questions qu'il ne dit rien en transférant les paquets du chariot au coffre du minibus et du minibus à l'appartement des Montardent.

« Tu restes dîner ? » lui demanda Dan, chargé du repas du lundi.

« Non, merci. Je vais partir… Grand-Mère… » Mais il n'arrivait pas à décoller avant d'avoir pu formuler sa question.

« Dis-moi, Dan. Comment fait-on pour trouver l'adresse d'un auteur ? »

« Tu écris à l'éditeur, tu vois, celui qui est marqué en bas de la couverture. Tiens, tu veux le lire en premier ? »

« Oui, merci, si tu veux », dit Ernest, essayant de cacher sa précipitation en rangeant le livre dans son cartable, loin des yeux de sa grand-mère. Loin des yeux, loin du cœur ?

Simon

Ernest se coucha avec le livre, trop agité pour le lire. Il mit longtemps à s'endormir... et longtemps à se réveiller. C'est en fait Germaine qui vint lui dire l'heure. Il cacha rapidement le livre dans son cartable et entra précipitamment, tardivement dans le nouveau jour.

Il était tard, donc, et, arrivé en bas de son escalier, il vit tout de suite que Victoire n'était pas seule, qu'elle avait avec elle un gros paquet sonore et remuant, qu'elle était échevelée et toute débraillée dans un manteau immense qui devait appartenir à sa mère... et dans un état d'affolement contagieux.

Elle lui passa le paquet en disant : « Grouille ! » Ernest ne put pas faire autrement que de l'attraper. Pour le récompenser, le gros balluchon lui offrit le seul « mot » de remerciement qu'il connaissait : « Uh ! » À sept mois, Jérémie avait un vocabulaire souple d'une syllabe qui recouvrait toutes les expressions possibles. Appuyé par un large sourire, « Uh ! » montrait que Jérémie était ravi de cette situation insolite.

Chez les Montardent, avec toute cette main-d'œuvre, plus Jeannette, il y avait toujours quelqu'un pour s'occuper du bébé quand les parents allaient au travail. Mais le mardi était le jour de congé de Jeannette, et Simon, qui n'avait pas cours le mardi, était de service. Seulement Simon, sorti la veille, n'était pas rentré, et après le départ insouciant de chaque membre de la famille, Victoire, la dernière, se trouva l'unique héritière des sept kilos deux cents grammes d'ennuis.

Elle vociféra : « Ce salaud d'irresponsable de tête en l'air de cochon de Simon n'a pas pointé son nez ce matin. »

Ernest, plutôt préoccupé par la disparition de Simon, dit: «Il lui est peut-être arrivé quelque chose...»

«À qui?»

«À Simon! Il faudrait avertir la police, ou du moins tes parents.»

«Penses-tu! Ça lui arrive souvent, à cet abruti, d'aller prendre l'air ailleurs. Il trouve que chez nous c'est surpeuplé.»

Ernest, qui n'avait pas, après tout, une grande expérience de la vie, regarda Victoire en s'étonnant. «Qu'est-ce qu'on fait de lui?» Jérémie ne lâchait pas le nez d'Ernest, qu'il prenait sans doute pour une sucette.

«N'est-ce pas, mon petit génie, clama-t-elle à Jérémie, que tu vas aller à l'école?» Jérémie répondit avec un «Uh!» enthousiaste.

«Je pense que c'est interdit. Je pense que, à ta place, je serais resté à la maison.»

«Tu peux parler, Ernest, toi qui n'as jamais manqué un jour d'école de ta vie! Rappelle-toi qu'on a une interro aujourd'hui et j'ai tellement travaillé que je veux la faire.»

Ernest réfléchissait quand Victoire expliqua son plan : « On va le cacher sous mon manteau. Si le maître me demande pourquoi je le garde, je dirai que j'ai froid. » Ernest continuait à réfléchir, cloué sur place, pendant que Jérémie lui tirait les cheveux.

« Grouille ! On ne peut pas être en retard en plus. Il ne faut pas se faire remarquer. »

« Il va avoir chaud, le pauvre ! »

« On va tous avoir chaud ! »

À quelques pas de l'école, Victoire échangea Jérémie contre les couches et le biberon qu'elle donna à Ernest. Il rangea le tout dans son cartable à côté de ce livre lourd qui pesait tout le poids de son cœur.

Ils essayaient de se fondre dans la foule de la cour, mais Victoire ressemblait à un chameau à l'envers. Ernest fit de son mieux pour la camoufler en chuchotant à Jérémie : « N'aie pas peur, on est là. Il fait noir, il fait chaud, mais ça va passer, mon vieux. » Jérémie promit d'être sage avec un « Uh ! » solennel.

À peine assis, coincé entre les genoux de Victoire et la table, Jérémie revint sur sa promesse et, dès que le maître distribua les sujets de l'interro, il émit des gémissements gentillets qui firent tourner les têtes des voisins.

«Tu me passes le biberon?» chuchota Victoire à Ernest.

Ernest se pencha pour le saisir quand Victoire lui dit: «Laisse tomber, je pense qu'il s'est endormi.»

«Victoire, Ernest, du calme s'il vous plaît.» C'était la première fois qu'Ernest se faisait gronder. Il se sentait un peu fier. Il avait été, en quelque sorte, distingué. Répondant automatiquement et sans peine aux questions de l'interro, Ernest se demandait s'il n'entamait pas une carrière de malfaiteur.

«Victoire, tu te crois en Sibérie ici? demanda le maître. Tu n'as pas chaud avec ce grand manteau?»

Victoire fit non de la tête sans lever les yeux, espérant que le maître l'oublierait. Elle avait tellement chaud que des perles de sueur dégoulinaient sur sa feuille, mais elle était déterminée à montrer ce qu'elle avait appris avec l'aide d'Ernest.

« Tu es sûre qu'il n'étouffe pas ? »

« T'en fais pas, il a l'habitude, il a vécu neuf mois dans le ventre de ma mère. »

Comme pour illustrer les peurs d'Ernest, Jérémie poussa des grognements un peu sourds suivis par une odeur qui se répandit dans la salle de classe comme une bombe nauséabonde.

« Ça pue », lui dit Victoire.

« Je sais. Qu'est-ce qu'on fait ? »

« On continue. Il a juste fait caca, le cochonnet. »

Ils avaient presque fini l'interro quand Jérémie se mit à hurler. Le manteau ne servait plus à rien et Victoire fut obligée de le sortir de sa cachette. Il aurait fallu que le maître fût sourd, aveugle et complètement bêta pour ne pas s'en apercevoir. Il vint vers le couple de kidnappeurs et dit calmement : « Qu'est-ce que c'est ? »

« C'est mon frère Jérémie, maître. Vous ne pouvez pas le prendre quelques minutes, que je finisse l'interro ? »

Le maître accepta sans hésiter. Il promena Jérémie devant la fenêtre en le berçant. «Pleure pas, mon bonhomme», dit le maître. Et Jérémie obéit instantanément. Il semblait être presque doué pour l'école.

La directrice n'avait pas l'habitude de faire des visites dans leur classe. Entre elle et le maître, ce n'était pas le grand amour. Mais peut-être avait-elle senti qu'il y avait quelque chose de bizarre. C'est ainsi qu'elle eut l'occasion de découvrir le maître en flagrant délit de tenir un bébé, qui n'était pas un élève de la classe, dans ses bras. «Cette école n'est pas une crèche! Que fait ce nourrisson ici? Vous n'êtes pas autorisé à garder votre gosse en classe.»

Jérémie lui fit un grand sourire en déclarant son accord avec un «Uh!»

Victoire continuait d'écrire, imperturbable. C'est Ernest qui se leva pour expliquer: «Il n'y avait personne pour garder le bébé ce matin.»

«Ce n'est pas une halte-garderie. C'est une école publique et laïque. Le bébé, il est à qui?»

Ernest tira Jérémie vers lui. Victoire mit le dernier point sur sa feuille d'interro et rejoignit Ernest. « Il est à nous. »

La directrice les fixa avec des flèches empoisonnées. Il ne manquait plus que cela.

« C'est-à-dire, c'est mon petit frère. »

« Venez avec moi ! » ordonna la directrice aux coupables. Au maître, elle dit : « Je vous verrai à la récréation. »

« Madame, dit Victoire, on peut le changer ? Il en a besoin ! »

« Suivez-moi d'abord ! Ce n'est pas une nursery ici. »

Ernest emporta son cartable pour ne pas extraire les couches devant tout le monde. Les camarades de classe faisaient des signes frénétiques accompagnés de « areu, areu », de « cui-cui » et autres mots d'amour à l'attention des bébés. Personne ne résiste aux délices d'un bébé... sauf la directrice. Le maître avait fondu en voyant Jérémie... ça ne lui était même pas venu à l'esprit de les gronder.

Par contre, la directrice n'arrêtait pas de les sermonner : « En trente années de carrière, c'est la première fois qu'on me fait le coup. On va prévenir vos parents. »

Ernest pensait qu'en cinq ans de carrière d'écolier, c'était la première fois qu'il voyait le bureau de la directrice.

« Je vais téléphoner à vos familles. » Ernest ne voulut pas la contredire. Elle apprendrait toute seule que, si elle voulait contacter sa « famille », il lui faudrait envoyer un télégramme.

« Je commence par toi, mademoiselle de Montardent », annonça-t-elle avec dédain. Elle sortit deux dossiers parmi des centaines, les consulta, et composa le numéro de Victoire. Aucune réponse. Elle fit le numéro du bureau de Mme de Montardent en disant à voix haute « ministère des Affaires étrangères ». Le haut-parleur permit d'entendre les douze sonneries, puis un message enregistré, puis le grésillement d'une musique synthétique.

Jérémie n'était plus aussi serein. Il gigotait et protestait. Il dit avec un « Uh! » grognon qu'il n'aimait pas la directrice.

« On peut le changer, maintenant ? »

«Allez-y», dit-elle, dégoûtée, au moment où la terrible sonnerie de la récréation retentissait.

Jérémie sur les bras, Ernest en remorque avec une couche, Victoire se dirigea vers les toilettes des filles.

«Je ne peux pas t'accompagner», dit Ernest, gêné par la foule de filles qui les entourait.

«Viens, on va chez les garçons, alors. Jérémie est un garçon après tout! Et moi, les zizis, ça ne me choque pas du tout.»

Victoire accomplit sa tâche hygiénique et ils retournèrent au bureau de la directrice, qui était à bout de nerfs. «Ta mère est en réunion. Ton père est en réunion, et je ne trouve pas le numéro de téléphone des Morlaisse. Qu'est-ce que je suis censée faire?»

«Il est sage, madame. Il ne dérange personne.»

«Il me dérange! Vous me dérangez! Voilà! Vous allez sortir d'ici et garder ce mioche chez vous. Je veux voir vos parents jeudi matin avant l'école, sans quoi vous n'entrerez plus ici.»

Ernest, dans la foulée, alla prendre ses affaires et soulagea Victoire de son chargement. Ils marchèrent ensemble jusqu'à la maison de Victoire, inquiets de leur sort d'exclus. Ils arrivèrent en même temps que... Simon, qui dit comme si de rien n'était : «Salut!»

«Salut toi-même!» dit Victoire sans rien ajouter.

«Y a pas classe, aujourd'hui?» demanda-t-il innocemment. Il enleva Jérémie des bras d'Ernest. «Alors, bonhomme, bonbon, bibop, tu te promènes?»

Victoire haussa les épaules et demanda à Ernest : «Que faire avec des gens pareils? Il compromet tout notre avenir, et le voilà qui arrive comme une fleur. Je te parie qu'il ne sait même pas que c'est mardi.»

«Ah, mince! C'est mardi? Déjà? Zut! Aïe! Comment tu as fait avec bambinou?»

«Il est allé à l'école...»

«Les parents sont au courant?»

«Ils ne vont pas tarder à l'être!»

Jérémie n'était pas heureux de revoir sa maison. Il préférait l'école. «Je vais te donner à manger», dit Simon, reprenant le dessus sans se soucier des conséquences de son oubli.

« Attends, j'ai son biberon. » Ernest ouvrit son cartable et vit l'étendue du désastre. Le biberon s'était déversé sur le livre auquel il tenait le plus. Il souleva le biberon vidé et le livre ruisselant de lait épais et gluant. Victoire comprit immédiatement la gravité du problème et elle agit vite. « T'en fais pas, Ernest, on va le laver et le sécher avec le sèche-cheveux. » Pendant que Simon s'occupait du bébé, Victoire et Ernest, dans la salle de bains, faisaient un brushing d'urgence au livre.

Simon subit les attaques de sa conscience. « Je vais vous ramener à l'école. J'expliquerai tout. »

« Elle a dit "les parents". Elle est capable de t'écrabouiller. »

« Bon, alors, si de toute façon vous ne pouvez pas aller à l'école, je vais vous payer le cinéma. »

Victoire embrassa ce grand frère étourdi, qui, lui, faisait des études de cinéma et qui avait quand même le sens de la justice.

« Ouais, dit-elle, qu'est-ce que tu nous conseilles de voir ? »

M. de Montardent

Ernest a pu ajouter le cinéma à sa liste des «premières fois». Sans que le maître lui demande une rédaction, il se sentit obligé de raconter cette aventure immobile à une feuille de papier, car il ne pouvait pas le dire à sa grand-mère, à moins de lui exposer tout l'épisode de son expulsion de l'école. Il suivait les conseils de M. de Montardent, qui lui avait dit: «Ne t'en fais pas, Ernest, laisse ta grand-mère tranquille, je m'occupe de tout jeudi matin.»

Alors, tranquillement, Ernest écrivit sur le cinéma:

À un guichet, Victoire a payé deux places. Nous avons pénétré dans une salle noire où un grand écran produisait seul la lumière. J'avais un peu peur, d'autant plus que le bruit était fort et les images violentes.

« C'est la bande-annonce », m'a dit Victoire. Pratiquement les seuls spectateurs à cette heure bizarre de la journée, nous nous sommes enfoncés dans des fauteuils moelleux. J'ai pensé aux événements du matin, j'ai vérifié que mon livre était bien au sec dans mon cartable, et j'ai été tenté de m'endormir quand le film a commencé. Et là, brusquement, j'ai arrêté de réfléchir, tellement la vie qui se déroulait devant moi m'a envahi. Je n'existais plus et c'était un grand confort. Et puis, à la fin, j'ai un peu titubé avant de me rendre compte en sortant que c'était aussi l'heure de sortie de l'école et que ce jour, ce mardi, devait se poursuivre, me poursuivre, espérant qu'il ne me rattraperait pas.

Ernest laissa Victoire devant son immeuble. C'est là qu'il rencontra M. de Montardent, qu'il n'avait jamais vu auparavant et qui lui dit que Simon l'avait mis au courant de l'affaire et qu'il les accompagnerait jeudi matin. Ernest se sentit brusquement étranger à sa vie, encore sous le charme du cinéma, mais encombré d'une sensation de manque. Il rentra, mangea sa pomme et réalisa ce qui lui manquait : ses compagnons des après-midi, ses devoirs ! Il n'avait rien à faire. Il avait laissé ses livres en classe. Il ferma la porte de sa chambre, sortit le livre « accidenté », tourna les premières pages et tomba sur : « Pour Geneviève, Myrtille, Clémentine, Prune, Cerise et Pomme ». Il eut l'impression qu'au moins un nom manquait à cette dédicace. Ça le choqua et, au lieu de lire le livre, il écrivit la première lettre de sa vie.

Cher monsieur Morlaisse,

Votre livre m'a vivement intéressé, c'est-à-dire, je n'ai pas vraiment essayé de le lire et d'en découvrir le contenu... Ce qui m'a surtout attiré, c'est votre nom parce que... j'ai le même.

Je ne voudrais pas que vous vous apitoyiez sur ma vie. Celles de David Copperfield et d'Oliver Twist furent infiniment pires. En fait, je ne me rendais pas compte de l'austérité de mon existence avant de rencontrer Victoire, une amie de classe, et de découvrir une animation et une qualité de vie que je ne soupçonnais même pas. Ainsi j'ai mangé une fondue bourguignonne, j'ai tenu un bébé dans mes bras, je suis allé à l'hypermarché (c'est là d'ailleurs que j'ai trouvé votre livre) et j'ai réussi par ma propre volonté à déplacer Grand-Mère jusqu'au restaurant de notre rue pour manger un couscous. Je ne sais pas si on m'embrassait quand j'étais bébé autant que le petit Jérémie, mais j'ai l'impression que mes premiers baisers ont commencé avec Victoire qui m'embrasse tout le temps sur les deux joues et qui jure que nous allons nous marier dans exactement douze ans.

J'ai dix ans. Je suis en CM2 et jusqu'à hier j'étais un très bon élève. Grand-Mère parle peu, mais je pense qu'elle en était contente. J'espère qu'elle n'apprendra pas qu'hier j'ai été expulsé de l'école.

J'étais à peine conscient que d'autres enfants étaient pourvus de mères, de pères, de sœurs et de frères. J'avais peu de contacts avec les autres. J'ai essayé d'avoir des renseignements mais Grand-Mère est très réservée. Elle m'a dit néanmoins que mon père était vivant. Ce père, serait-ce vous ? Je ne sais pas quoi espérer, mais veuillez recevoir, cher monsieur Morlaisse, l'expression de mon espoir.

Ernest Morlaisse

Il chercha dans tous les tiroirs des nombreuses commodes avant de dénicher une enveloppe jaunie. Le rabat n'avait plus de colle. Il inscrivit : *Gaspard Morlaisse*, mit du Scotch et cacha la lettre dans le livre qu'il remit dans son cartable en attendant le terrible surlendemain.

Victoire et son père l'attendaient, garés en double file devant son immeuble. Dès qu'il sortit, ils klaxonnèrent.

M. de Montardent avait l'air à l'aise dans son costume-cravate, mais crispé par cette tâche supplémentaire dans une journée surchargée. Et il avait l'air fatigué, terriblement fatigué, comme quelqu'un qui n'avait jamais demandé au Père Noël, au bon Dieu ou à la cigogne de lui apporter quatorze enfants. Ernest ne savait pas comment on fabriquait les bébés. Ni Grand-Mère ni Germaine ne lui avaient jamais dit. Ça le gênait de demander à Victoire, car il avait peur qu'elle le sache et qu'elle le lui explique avec tous les détails sanglants. En tout cas, ça ne devait pas être excessivement difficile puisque les gens les plus simples savaient le faire depuis l'éternité. Peut-être existait-il des choses qu'on n'avait pas besoin d'apprendre, qui venaient toutes seules, comme dormir, et... aimer Victoire.

La directrice était, comme d'habitude, vexée, contrariée, en colère, mais quand elle vit M. de Montardent, elle devint tout sucre vanille et frangipane. Il était impeccable, habillé comme un Italien, haute couture et bonne coiffure. Grand, mince, pas exactement beau mais avec un visage bien sculpté, il avait l'autorité naturelle d'un chef. Déjà, avant de lui adresser la parole, la directrice regrettait d'avoir fait perdre son temps à un tel homme. Elle avait été indomptable au téléphone, lui martelant des « c'est inadmissible ! » mais face à face, tout ce qu'elle avait à lui dire, c'était : « Ce n'est rien, monsieur, les imprévus arrivent à tout le monde », et qu'elle s'assurerait personnellement que Victoire et Ernest rattrapent l'après-midi manqué et que ça ne nuise pas à leurs carnets scolaires. Le père de Victoire ne pouvait pas placer un mot tellement elle susurrait des excuses et des pardons. M. de Montardent était presque déçu, comme quelqu'un qui s'était préparé au combat et ne reçoit que des balles en coton. Il embrassa les enfants et courut à ses occupations.

Victoire et Ernest furent accueillis en héros aussi bien par les enfants que par le maître. Celui-ci leur rendit leurs interros : parfaites. Jérémie avait porté bonheur !

Une des trois Élodie les invita à son goûter d'anniversaire et Ludovic demanda à Ernest de jouer au foot à la récré. Ernest était devenu moins intouchable, mais il ne savait toujours pas jouer au foot.

Et comme on s'habitue à tout, Ernest s'habituait très bien à être sociable. Mais plus il parlait avec des gens à l'extérieur de la maison, plus il avait envie de parler à sa grand-mère à l'intérieur. Sans vouloir l'effrayer, il avait l'intention de lui raconter l'histoire de Jérémie à l'école, et de lui montrer le livre. Déterminé, Ernest entra dans son appartement, plus silencieux qu'un cinéma vide. À la cuisine, il vit que la table n'était pas mise, qu'aucune casserole ne chauffait sur le feu, que même ces petits feux de vie s'étaient éteints.

Seul le sac de légumes pour la soupe était posé sur le buffet. Il courut dans la chambre de sa grand-mère. Le lit n'était pas fait et son occupante avait disparu.

Il pensa à sa lettre, comme si elle avait amené la foudre, mais il savait qu'il ne l'avait même pas envoyée. Il tournait en rond. Il chercha l'autre lettre cachée comme si ces gribouillages pouvaient apporter une solution. Il ne voyait pas quoi faire sinon aller mobiliser Victoire, sauf que s'il partait et que sa grand-mère revenait, c'est elle qui se ferait du souci.

Du souci, voilà ce qu'Ernest entreprit de se faire. Il s'assit sur le sofa cabossé et se laissa envahir par une terreur qui empoisonnait son cerveau et paralysait toute initiative. Il resta là, sans bouger, sans lire, sans réfléchir, à écouter l'écho dans sa tête qui reprenait sans cesse : « Grand-Mère est morte. »

À la cinquième fois, quand la phrase s'était tellement ancrée qu'il y croyait, sa grand-mère, tout habillée, entra doucement dans le salon, s'assit à côté de lui et dit : « Germaine a eu un malaise. On est allées à l'hôpital en ambulance. C'est le voisin qui l'a appelée pour moi. On va l'opérer du cœur, tout de suite. » Et là, Ernest fut témoin d'une chose jamais vue : sa grand-mère fondit en larmes.

Ernest prit ce tas d'os fragiles dans ses bras et dit, non pas : « Ne pleure pas », mais au contraire : « Pleure, pleure ! »

Elle chuchota : « Je savais au fond de moi qu'un jour il n'y aurait plus personne pour s'occuper de toi. Quand on dépasse les quatre-vingts ans, les jours sont comptés, mais je faisais semblant de ne pas écouter ma peur. »

Puis elle se ressaisit et lui dit : « Viens, on va manger quelque chose en bas et je t'accompagnerai à l'école. Puis je ferai quelques courses pour ce soir. »

« Je peux les faire, Grand-Mère, en sortant de l'école. »

« Je ne sais pas comment on va faire face, Ernest. Je suis trop vieille et tu es trop jeune. »

« Grand-Mère, ne t'inquiète pas. Nous aurons le courage qu'il faut. »

« Et Germaine... elle... »

« Est-ce qu'elle a eu très mal ? »

« Oui, mais maintenant elle dort, et ils m'ont dit que... »

« ... Elle ne pourrait plus travailler. » Ernest finit la phrase.

« Et je n'ai pas beaucoup de force, Ernest. »

« On partagera la mienne, Grand-Mère. »

Henriette

«Tu peux venir vivre chez moi!» lui proposa Victoire. «J'ai un matelas sous mon lit.»

«Et Grand-Mère?»

«Je demanderai à ma mère, je te dirai demain. À mon avis, s'il y a de la place pour dix-sept, il y en a pour dix-huit.»

«Tu sais, je pense que Grand-Mère a besoin de calme, elle n'a pas l'habitude du monde.»

«On peut lui donner la chambre de bonne.»

«Je ne crois pas que ce soit la bonne solution. Entre-temps, si tu peux me prêter un livre de cuisine, j'essaierai de nous faire à manger.» Ernest fouilla dans son cartable et sortit la lettre qu'il avait écrite. Il la lui tendit en demandant: «Dis,

Victoire, Dan m'avait dit qu'il pourrait trouver l'adresse de l'éditeur... »

« Oui, oui, t'en fais pas, on va se débrouiller. Dan s'en occupe. »

Après les quelques courses dans la petite épicerie près de l'école, Ernest trouva sa grand-mère dans la cuisine en train d'éplucher des légumes. Elle mettait tellement de temps pour chaque carotte et chaque pomme de terre qu'on aurait dit qu'elle les sculptait. Il s'assit à côté d'elle et vit que ce n'était pas évident de déshabiller les légumes.

Même casser les œufs paraissait beaucoup moins sorcier que ça ne l'était. Il espérait que Grand-Mère aimerait la coquille brisée en éclats dans l'omelette. Ernest voulait tant réussir le repas pour prouver à Grand-Mère qu'ils arriveraient à survivre.

La soupe, c'était abordable. On jette les légumes dans une casserole d'eau et on les laisse nager. Mais Grand-Mère se mit devant la cuisinière comme pour veiller à ce qu'ils ne se noient pas. Ernest s'installa à la table pour faire ses devoirs. Il savait que sa grand-mère serait rassurée de sentir que le monde continuait à fonctionner et Ernest aimait sa présence discrète dans la même pièce.

Il rangea ses devoirs à côté du livre qui dormait tumultueusement dans son cartable. Il n'avait mis qu'une des deux assiettes creuses quand la sonnette retentit. Victoire et Zabulon firent leur entrée éclatante dans la cuisine avec une casserole et un gâteau.

« C'est de la daube », dit Zabulon, qui n'avait qu'un an de plus que Victoire, mais qui était imbu de sa supériorité, car il était en sixième.

« Mais, il ne fallait pas », dit la grand-mère d'Ernest, réellement gênée par tant de générosité. « On se débrouille… »

« Vous savez, nous faisons tout chez nous en quantités industrielles, alors ne vous en faites pas, madame Morlaisse… ça ne nous coûte pas plus cher… et on va vous tenir compagnie en mangeant avec vous… »

Ernest chercha d'autres assiettes, mais sa grand-mère partit dans le salon et apporta des assiettes de fête qu'Ernest n'avait jamais vues. Elle fit même un sourire.

À table avec la bonne daube, les belles assiettes et Grand-Mère qui souriait, la situation de crise qu'ils vivaient semblait loin.

«Voilà, on a discuté», dit Victoire tout agitée, «Jeannette a une fille qui cherche du travail, et qui voudrait bien venir chez vous remplacer Germaine. Je ne l'ai jamais vue mais Jeannette dit que c'est une énergumène.»

«C'est bien, ça?» lui chuchota Ernest.

«Quel âge a-t-elle?» demanda Mme Morlaisse.

«Elle doit avoir dans les vingt ans.»

«Ce serait pas mal d'avoir un peu de jeunesse ici pour une fois.»

«Il paraît qu'elle aime beaucoup faire la cuisine. Elle voulait être chef mais elle ne supportait pas le lycée hôtelier. On ne lui laissait pas faire les plats qu'elle voulait. Elle rêve d'ouvrir un restaurant.»

«Il n'y a pas beaucoup de cuisine à faire ici. On est juste nous deux.»

«Elle est d'accord pour tout faire. Elle sait coudre aussi.»

«Bon, si elle veut venir nous voir demain… on verra bien.»

Elle se pointa avant le départ d'Ernest.

«Je m'appelle Henriette», dit la géante qui se faisait encore plus grande avec des talons hauts de dix centimètres. Un maquillage macabre recouvrait ses paupières d'un gris noir. Ses cheveux ressemblaient à un nid de vautour d'un noir de corbeau. Cette tête noire sortait d'une robe orange fluo serrée, serrée, serrée et si courte que c'était plutôt un maillot de bain posé sur des jambes qui n'en finissaient pas de grandir. Ernest ne put s'empêcher de remarquer ses seins qui avançaient sur lui comme des canons. Il avait le pressentiment que l'ensemble ne plairait pas à sa grand-mère, mais il avait tort. Sa grand-mère ne voyait que l'énergie et le sourire.

«Aïe aïe aïe, qu'il fait sombre ici», dit Henriette. «On va éclaircir tout ça.»

Pour une fois, Ernest n'avait pas envie de partir à l'école. Il aurait aimé observer Henriette, qui était comme une petite fille à qui on vient d'offrir une maison de poupée.

À peine Ernest avait-il ouvert la porte à midi qu'une odeur sublime le frappa. Il avait rarement faim, mais il suivit son nez jusqu'à la cuisine et il eut envie de plonger sa tête entière dans la sauce.

«On va commencer par une petite salade aux pignons et ensuite nous aurons un coq au vin. Le dessert est une surprise!» Sa grand-mère arriva à table avec une robe de fête d'une autre époque. Voyant la réaction d'Ernest, Henriette déclara, pour information générale: «Ce n'est pas un hôpital ici! On ne goûte pas ma cuisine en robe de chambre.»

Mais Précieuse, qui s'était pliée à la demande de s'habiller, eut du mal à accepter ces plats bizarres. Elle goûta avec précaution comme un roi qui a peur de l'empoisonnement. Elle soupçonnait chaque cuillerée de substance nouvelle, mais sa résistance se brisait petit à petit devant l'avalanche de plaisir.

Délicieux aurait été peu dire pour le déjeuner. Ernest vit qu'il allait falloir trouver d'autres mots. Avant qu'il reparte, Henriette lui souffla : « Ta grand-mère m'a demandé de préparer une soupe pour ce soir. C'est une soupe de brocolis aux épinards. Tu chauffes et tu mets ces croûtons à l'ail dedans. Demain je vous ferai une blanquette… »

De surprise en surprise, Ernest rentra le soir et vit que tous les rideaux étaient enlevés, que quelques meubles avaient disparu ainsi qu'une partie des bibelots et que les meubles avaient changé de place dans sa propre chambre.

Sa grand-mère lui donna comme réponse à une question qu'il n'avait pas posée : « Henriette a dit que ce n'est pas le marché aux puces ici. » Elle avait l'air amusée en lui décrivant pour la première fois sa journée à elle : « Cette énergumène n'arrête pas de parler, de me demander ce que je préfère : du poivre ou du cumin, de l'ail ou du gingembre… Elle a dépensé quatre fois plus que Germaine pour la nourriture… »

« C'est au moins quatre fois meilleur. »

« Elle m'a promis que c'était juste au début, pour les épices et le *minimum nécessaire absolu*, comme elle dit. Demain elle veut me traîner dans les magasins pour choisir un tissu pour de nouveaux rideaux… mais il n'en est pas question ! De toute façon, demain j'irai voir Germaine. »

« J'aimerais t'accompagner. »

« Alors, nous irons après la classe. »

Henriette était en fluo jaune avec les mêmes talons hauts. Elle était essoufflée d'avoir porté sa machine à coudre, les produits d'un nouveau marché et d'autres paquets. Ernest partit de nouveau avec regret.

À son retour, il put apprécier les nouveaux rideaux couverts de fleurs et de fruits minuscules et colorés sur un fond jaune clair. Ça changeait tout. « Vous avez bien choisi, Grand-Mère. C'est joli. »

« Je n'ai pas choisi. J'ai dit à Henriette que je lui faisais confiance. Mange ton goûter et on y va. » Le goûter était un morceau de gâteau au chocolat du dessert de la veille. Mais il ne calma pas la peur d'Ernest à l'idée de revoir Germaine dans un hôpital.

Au seuil de la chambre, une infirmière lui dit qu'il ne pouvait pas entrer, et que sa grand-mère devait mettre un masque, un bonnet et une longue chemise en papier. Ernest l'aida à l'enfiler et l'observa qui s'approchait du lit à petits pas.

Les yeux de Germaine étaient fermés. Un tuyau sortait de son nez, un autre de dessous la couverture. Elle n'était pas maquillée. Elle avait l'air vulnérable. Sa grand-mère la toucha et lui parla : « Germaine, nous sommes désolés que tu souffres, mais ça va aller de mieux en mieux. Tu es forte, Germaine, tu vas te remettre. Nous pensons à toi. Nous sommes avec toi. Et puis, Germaine, ne te fais pas de souci pour nous. Nous nous débrouillons. Tout se passe bien. Et si tu veux, quand tu sortiras, nous te préparerons une belle chambre à la maison. Tu te reposeras. Nous serons ensemble. »

Ernest était étonné car il n'avait jamais entendu Grand-Mère tutoyer Germaine. Peut-être faut-il tutoyer les malades, qui sont comme des enfants. Ou bien ça devait être l'influence de Henriette : celle-ci avait immédiatement tutoyé sa grand-mère, qui le lui avait rendu pour ne pas l'offenser.

Germaine ouvrit les yeux et prononça un nom : « Ernest ? »

« Il est venu avec moi. Mais ils ne laissent pas entrer les enfants. Il est là, derrière la porte. »

Ernest eut un pincement au cœur en même temps que ce cœur se mit à émettre un message urgent. Jusque-là, il ne s'était pas rendu compte. Germaine, il l'avait vue presque tous les jours de sa vie. Et c'était seulement en ce moment que l'idée qu'elle pouvait mourir l'attaqua de plein front. Elle ne faisait pas la meilleure cuisine du monde, elle n'apportait pas de grandes améliorations dans leur vie, mais elle faisait partie de leur vie... et partie de leur cœur. Il pensait à elle de temps en temps à l'école. Quand il travaillait bien, il se disait : « Germaine sera contente. » Elle n'était pas câline, mais elle réservait pour lui seul un sourire qui aurait tant voulu se transformer en bisous. Quelque chose la retenait comme si, pour elle non plus, il n'y avait pas de place dans le monde des câlins. Il aimait sa façon de dire «Ernest» comme une révélation. Il aimait son visage plein de couleurs. Il aimait son désir d'avoir des principes. Et puis, oui, Germaine, il l'aimait. Il la regarda à travers la vitre, et il pleura.

Benjamin

Ernest et Précieuse s'habituèrent vite à l'éclat de vie de Henriette et à tout ce qu'elle apportait en piment et piquant. Ernest apprenait que la vie était capable d'offrir des surprises, et chaque jour pouvait produire la sienne. Victoire avait été la plus grande, suivie par un bouquet de plus petites, de moyennes et de grandioses. Tous les jours, Ernest se réveillait avec un appétit croissant et une curiosité renouvelée pour les nouveaux développements. C'était comme si la première fois qu'il était né n'était pas la bonne ; sa mère morte, son père disparu, sa grand-mère paniquée, Germaine consternée et lui somnolent, un Bel au bois dormant qui n'attendait que la Princesse pour lui donner une deuxième naissance.

Il attendit Henriette avant de partir à l'école. Il attendit jusqu'à la dernière minute possible en se concentrant pour attraper le clic-clac de ses talons hauts sur le palier. Mais il dut partir sans son bonjour. Et revenir vers une maison où rien de neuf ne mijotait sur le feu, où il fallut se contenter des restes et d'une grand-mère peu bavarde. Victoire était absente et Ernest n'avait pas envie de parler non plus, sauf pour remarquer que la vie donne et reprend et que les jours peuvent aussi réserver de mauvaises surprises. Il se contenta de dire à propos de Henriette : « Elle a dû avoir un empêchement. »

C'est Benjamin de Montardent, quinze ans, qui vint les avertir que Henriette avait la grippe. Victoire, Zabulon et Jérémie aussi. Et que Henriette avait peur de leur passer des microbes.

Quand Henriette, encore plus maigre et haut perchée, réintégra la maison et la cuisine des Morlaisse abandonnés, ce fut avec des cris et des reproches : « Vous vous rendez compte, ce n'est pas possible ! Lis-moi la date sur ce journal ! On est d'accord, n'est-ce pas ? Nous sommes au XXe siècle, bientôt au XXIe ! Ici, dans cette maison, on dirait le XIXe, ou même l'âge des ténèbres. Je vous le jure, je ne travaille plus ici sans téléphone ! C'est insupportable. Il faut que j'avertisse les patrons de ma mère, qu'ils se dérangent pour venir jusqu'ici. On peut avoir des urgences ! On peut avoir envie de téléphoner à la pauvre Henriette mourante pour s'inquiéter de sa santé, pour dire : "Ma petite Henriette, soigne-toi bien et reviens vite." Non ? »

Ernest n'avait jamais été témoin d'une crise d'hystérie. Il ne savait pas comment allait réagir sa grand-mère. Il avait peur qu'elle repousse cette fille ensoleillée qui voulait faire la pluie et le beau temps. Mais sa grand-mère céda simplement : « On va faire le nécessaire. »

Ainsi, avec l'aide de Henriette pour les démarches, un téléphone gris clair prit place sur le buffet du salon, ce même buffet qui contenait la lettre délaissée. Henriette inscrivit sur un carnet une longue liste de trois numéros de téléphone :

le sien, celui des Montardent, et SOS Médecins. Ernest aimait soulever le récepteur rien que pour écouter la sonnerie. Il caressait l'appareil pour l'encourager à parler. À l'autre bout de la ligne, quelque part dans le monde, se trouvait un abonné, un interlocuteur... un père.

Henriette lui donna une brève leçon sur la manière de téléphoner, et Ernest la mit en pratique en faisant le numéro de Victoire. La voix, entrecoupée par une toux caverneuse à travers l'écouteur, n'était pas la sienne.

« C'est bien Victoire de Montardent ? »

« Ou ce qu'il en reste... »

« Qu'est-ce que tu as ? »

« Je suis victime des bactéries toxiques et empoisonnantes des voies respiratoires supérieures en train d'évoluer vers le système nerveux. Fiévreuse, infirme et pestiférée ! »

« C'est grave ? »

« Non ! Tant que je peux manger du chocolat. C'est le meilleur traitement. La moitié de la famille est atteinte. C'est un véritable hôpital ici. »

« Qu'est-ce que je peux faire pour vous ? »

«Mais dis donc, je viens de me rendre compte que tu me TÉLÉPHONES! Tu es dans une cabine?»

«Je suis chez moi. On a fait mettre le téléphone.»

«C'est pas vrai!»

«C'est Henriette.»

«Ernest, j'ai peur que tu te modernises trop, et que tu deviennes comme tout le monde.»

«Personne n'est comme tout le monde!»

«Tout le monde est comme tout le monde!»

«Les deux vérités sont vraies.»

«Donne-moi ton numéro, je ne te crois pas encore... je veux vérifier, je te rappelle.»

Quand Victoire rappela, tout le monde sursauta au bruit strident de la sonnerie saccadée. Ils étaient tellement paralysés de peur qu'il fallut quinze cris d'alarme avant qu'ils aient l'idée de répondre.

Au bout du fil, Victoire déclama d'un ton didactique: «Quand le téléphone sonne, il faut répondre.»

Du moment où il fut là, le téléphone occupa plus de place que ses vingt centimètres carrés réels car Ernest était toujours sur le qui-vive comme la maman d'un bébé malade, guettant à chaque instant ses cris subits. C'était une véritable présence, augmentant le potentiel des surprises dans une journée. Le soir, Ernest et Précieuse s'asseyaient autour du téléphone comme d'autres autour du feu ou d'autres encore devant la télévision, et Ernest priait ce dieu sourd de lui offrir quelques signes électroniques, mais leur monde était peu peuplé, et Victoire était trop abattue pour téléphoner tout le temps.

Le matin, Ernest passait devant et lui faisait un adieu mélancolique et, le soir, il lui rendait visite dès qu'il franchissait la porte. Très vite, il chercha le nom Morlaisse dans l'annuaire qu'on leur avait donné avec la bête, et il trouva immédiatement un Gaspard Morlaisse dans un autre arrondissement, si incroyablement, dangereusement proche. Il apprit le numéro par cœur et s'efforça de résister à la tentation de le composer. Chaque fois qu'il surmontait son désir d'appeler Gaspard, il se récompensait en composant le numéro de Victoire. Et chaque fois, c'était

Benjamin qui répondait, et qui accueillait Ernest comme son meilleur ami avec des «comment ça va?» chaleureux. Ernest ne savait jamais quoi dire après: «Ça va, et toi?» Mais Benjamin ne manquait pas de conversation avec tout ce qui se passait sur leur planète. Il donnait des nouvelles de la famille entière, des voisins de l'immeuble et des actualités à la télé. De temps en temps, il racontait à Ernest ses nouvelles acquisitions pour sa collection de timbres. Bien qu'Ernest ne connût rien aux timbres, il aimait partager la passion de Benjamin.

Il y avait de tout dans la famille Montardent, des yeux bleus du père, des yeux marron de la mère, des bruns, des châtains, mais c'était chez Benjamin que les gènes s'étaient vraiment affolés. Il était le seul à avoir des cheveux roux comme un feu rouge et des yeux verts comme un feu vert et une nature paisible comme un drapeau blanc. Il pouvait passer des heures à son bureau à jongler avec ses timbres, mais c'était toujours lui qui sautait sur le téléphone pour offrir ses salutations au monde. Il était le mouton noir des garçons, parce qu'il était le seul à ne pas être brillant en classe. Il avait appris à lire avec les timbres, il connaissait la géographie par les timbres et il s'intéressait à l'histoire, la nature et la littérature à travers les sujets des timbres. Et puis il adorait ranger ces petites images à la case appropriée dans des albums qu'on lui offrait à chaque occasion.

Benjamin mendiait des timbres à tous les gens qu'il croisait, même à Ernest : « Si jamais tu reçois des enveloppes intéressantes, pense à me les montrer. »

« Désolé, tu sais, le facteur ne m'a jamais rien livré de toute ma vie. Les jours de grève de la poste ne me touchent pas. »

Deux jours plus tard, Ernest, qui avait néanmoins pris l'habitude de regarder dans leur boîte à lettres depuis que lui-même avait... plus ou moins... envoyé une lettre, trouva dans ce nid en bois une enveloppe rectangulaire adressée à M. Ernest Morlaisse et habillée d'un timbre ordinaire marqué République française. Son cœur se mit à cogner contre les parois de sa poitrine alors que des petites perles de sueur s'accumulaient sur son front. Il n'osait pas l'ouvrir. Il monta dans sa chambre, enleva la cravate qui garnissait éternellement sa chemise et s'assit sur son lit. Il décolla délicatement le rabat, laissa passer la bombe de l'émotion. Il lut :

Cher Ernest,

Bonjour ! Bon anniversaire. Bonne année. Joyeux Noël. Bonne chance. Bonne route. Bonne santé. Happy birthday. Joyeuses Pâques. Felicidades. Et beaucoup de bonheur dans tout ce que tu entreprends. Have a good day !

Je te prie de recevoir, cher Ernest Morlaisse, l'expression de mes meilleurs sentiments.

Et gros bisous,

Ton ami, Benjamin

P.-S. Tu m'as dit que tu n'avais jamais reçu de lettres de ta vie. Maintenant, c'est chose faite !

Élodie

En arrivant à l'école, il trouva une deuxième lettre sur sa table. Il pleuvait des lettres ! « Vous êtes cordialement invités à mon goûter d'anniversaire. » Il y avait sur le carton le dessin d'un gâteau, de ballons et de confettis, et puis l'adresse, l'heure et un mot en bas : « N'oublie pas que tu m'as promis de venir. Élodie. »

Ernest se rappelait qu'Élodie l'avait invité avec Victoire, mais il ne se rappelait pas avoir accepté. Ce n'était pas dans ses habitudes, bien qu'il se fût promis de coopérer désormais avec le fleuve de la vie. Si on est invité, on y va. Si on a l'occasion de rencontrer des gens, on accourt, car qu'est-ce qu'il y a de plus épatant, de plus colossal, de plus phénoménal qu'un autre être humain? Ernest n'en avait pas beaucoup connu dans sa première décennie. Il avait l'intention de rattraper son retard. De toute façon, il y aurait Victoire.

Victoire était malade depuis une semaine et Ernest n'était qu'à moitié présent sans elle. Il ne traversait pas la frontière qui le séparait de l'autre côté du pupitre qu'ils partageaient, ne serait-ce que d'un coude, pour ne pas écraser son fantôme. Son absence était une immense présence pour Ernest, comme un trou qu'on contourne pour ne pas y tomber, mais on pense tant au trou qu'on y tombe quand même. Il avait mille choses à lui dire et mille autres choses et gestes d'elle lui manquaient. C'est ça un trou, un manque infini. L'école était devenue une caverne, vidée de sa substance. On dit que personne n'est indispensable. «C'est faux», pensa Ernest, «chaque personne est indispensable et irremplaçable, au moins pour ses parents!» Il ne savait pas comment ses observations l'avaient mené à des parents, lui qui n'en avait pas. Parfois, il aurait aimé débrancher la réflexion.

Depuis l'absence de Victoire, et même avant, Élodie rôdait autour de lui. Elle continuait à lui apporter des gâteaux et des petits cadeaux : une gomme en forme de cœur, une bille avec un visage souriant, une branche faisant crayon. Ernest était terriblement gêné. Refuser signifiait l'offenser, mais il sentait qu'elle l'aimait plus qu'il ne l'aimait. Elle était gentille, attentionnée, elle voulait à tout prix être son amie, elle voulait qu'il l'aime, mais il était incapable de lui rendre son affection. On ne peut pas se forcer en amitié. Ou bien c'est là, ou bien pas. Et quand ça frappe, c'est en quelque sorte un miracle.

Il n'aima pas la façon dont elle intrigua auprès du maître pour changer de place en disant que Christophe l'embêtait. Il n'aima pas qu'elle réussisse à s'installer à côté de lui. Pour Ernest c'était un insupportable sacrilège d'en voir une autre à la place de Victoire. Il était révolté et il se replia en lui pour se faire tout petit de sorte qu'elle n'arrive même pas à l'effleurer.

Elle obtint son numéro et lui téléphonait tous les soirs pour lui rappeler que sa fête était samedi.

Il ne voyait pas comment se dédire et, même s'il n'aimait pas cette personne, c'était néanmoins une personne, avec toute sa sensibilité et sa fragilité.

Et Victoire était toujours malade. Elle lui interdisait de venir la voir : « Fais gaffe ! C'est un piège à microbes ici. Mais Maman dit que si je passe ce week-end sans fièvre, je pourrai retourner à l'école lundi. Tu vas avoir du boulot avec ton amie la tortue. »

« Rien ne sert de courir, il faut partir à point. »

« Ernest La Fontaine, tu es l'homme de dix ans le plus cultivé de France. »

« Je suis l'homme le plus embêté avec cette fête obligatoire. »

« Qu'est-ce que tu lui as acheté comme cadeau ? »

« Acheté ? Cadeau ? »

« Oui, il faut apporter un cadeau pour un anniversaire. » Ernest n'avait jamais reçu de cadeaux d'anniversaire.

« Je n'y ai pas pensé. » La seule idée qu'il avait, c'était un livre. « Un livre ? »

« Élodie ne lit jamais. »

« C'est peut-être parce qu'elle n'a jamais eu le bon livre. »

« Tu peux lui apporter des bonbons. Elle est toujours en train de manger des bonbons. Mieux encore, je te ferai des truffes au chocolat demain. Un des frangins passera te les déposer. »

« Ne te dérange pas. Je trouverai quelque chose. »

« T'en fais pas. Ça me donnera trois papiers argentés pour ma collection. »

Ernest s'approcha du lieu de la fête avec confiance. « C'est un pays civilisé, se dit-il, ils ne vont pas me manger. » Sa grand-mère n'approuvait pas tout à fait ces nouvelles sorties, mais elle ne dit rien d'autre que : « Tu grandis. » Elle le répéta comme une malédiction. Son père à elle avait grandi pour aller à la guerre, son mari aussi. Ils n'en étaient pas revenus. Son fils avait grandi pour prendre la porte. Grandir veut dire partir, disparaître. Peut-être serait-il aspiré par les convives de la fête ?

Il sonna et tendit le paquet de truffes, contribution de Victoire.

« Merci », dit Élodie sans l'ouvrir.

Il n'y avait pas les ballons de toutes les couleurs, les lampions et les confettis promis sur l'invitation… juste un immense salon luxueusement vide et nu. Seule Élodie était décorée, maquillée et déguisée en dame. Elle portait même des talons hauts, pas aussi hauts que ceux de Henriette, mais plus hauts que plats. Il se demanda si elle ne prévoyait pas un bal costumé.

Ernest ne savait rien des mondanités, mais il connaissait assez la vie pour se rendre compte qu'il était le premier imbécile à avoir pointé son nez.

« Assieds-toi », lui dit son hôtesse. Il se demanda si Élodie n'avait pas de parents non plus mais il n'osait pas poser la question. On aurait dit qu'elle vivait toute seule dans ce vaste appartement.

« Qu'est-ce que je te sers à boire ? Du whisky, du pastis, un porto ? »

Ernest, grâce à son contact avec Victoire, commençait à comprendre l'humour. « Non, merci. Je n'ai pas soif. »

« Juste une goutte. » Elle ouvrit une armoire remplie de bouteilles et versa un liquide ambré dans deux verres. Il vit qu'elle ne blaguait pas. Elle trinqua avec un Ernest à la main hésitante d'un «santé!» tonitruant.

Pour être poli, il goûta et constata que jamais il ne pourrait avaler. Elle, par contre, buvait à petites gorgées. Il n'avait rien à dire, concentré dans l'attente des renforts. Elle ouvrit la conversation avec un: «Quoi de neuf?»

Il y avait tant de neuf dans sa vie que les mots formaient un gros embouteillage et il ne dit rien d'autre que: «C'est joli ici.» Il n'aimait pas le mot «joli», mais «beau» c'était trop et il n'avait pas un stock énorme d'adjectifs appropriés aux décors.

«Ma mère change le salon tous les deux mois. En ce moment, elle aime le vide. Veux-tu des pistaches?»

«Non, merci», dit Ernest en regardant vers la porte. «Je dois être très en avance.»

«Non, tu es parfaitement à l'heure.»

«Et les autres?»

«Je n'aime pas les grandes fêtes, j'aime les tête-à-tête.»

«Mais tu as invité Victoire et toute la classe, n'est-ce pas?»

«Quand j'ai su que Victoire était malade, j'ai décommandé les autres. C'est l'occasion idéale pour faire connaissance.»

«On se connaît. On se voit tous les jours.»

«Mais pas seul à seul.»

Pour briser le silence qui s'ensuivit, Ernest dit: «C'est Victoire qui a fait les truffes au chocolat que je t'ai apportées.»

«Ah, bon, Victoire! Tu ne trouves pas que cette fille est culottée?»

«Cu-lot-tée?»

«Oui, sans gêne.»

«Heureusement! Si seulement elle pouvait m'en donner un peu... Elle est nature. Elle est énergique. Elle EXISTE!»

«C'est une garce!»

Pour Ernest, ce fut un coup de poing en plein nez. Blessé, il fixa Élodie. Ses yeux exigeaient des explications.

«Tu sais, elle t'a adopté seulement parce qu'elle a eu pitié de toi. Elle répète à qui veut l'entendre : "Pauvre Ernest, il n'a pas de mère, pas de père, pas de frères et sœurs et il vit dans un tombeau." »

« Tu sais tout alors. »

« Si Victoire sait, tout le monde sait. Si tu veux tout savoir sur toi-même, demande à toute la classe. »

« Si tu sais tout déjà, c'est inutile de poursuivre ce tête-à-tête. »

« Mais toi, tu ne sais rien de moi... »

« Je crois que je sais tout ce que je veux savoir. Bonsoir. »

Issachar

Malgré les avertissements de Victoire quant à la contamination, Ernest courut chez elle en quittant Élodie. Issachar, vingt et un ans, ouvrit avec son stéthoscope autour du cou et un masque sur la bouche, ce qui rendit presque incompréhensible sa phrase : « Pour celui qui entre ici, c'est la mort instantanée. » Issachar était étudiant en médecine, mais il se croyait déjà professeur au Collège de France. Des fois, avec un petit peu de connaissances, on pense tout savoir. Il se délectait à expliquer les dernières nouvelles de l'hépatite C, du cancer, du sida, de la sclérose en plaques, des infarctus et autres dérèglements du corps. Mais sa spécialité chérie, c'était la psychiatrie, et il n'arrêtait pas de parsemer ses phrases de névroses, de psychoses, de paranoïaques, de maniaco-dépressifs, de narcissismes. Son expression favorite était: «C'est pathologique, chronique, congénital.»

Il prenait la tension de ses frères et diagnostiquait le moindre symptôme de maladie inguérissable. Petit, il jouait déjà au docteur en faisant des pansements à ses fidèles patients, qu'ils aient des bobos ou non. Il fabriquait des pilules en roulant entre ses doigts des restes puisés dans le frigo. Avec la population de sa maison, il avait une clientèle toute faite. Il enleva le masque et le plaqua d'office sur le visage d'Ernest en disant: «Moi, je suis immunisé.»

Ernest aimait être dans cette maison où les frères étaient si nombreux qu'ils traitaient même les étrangers en frères. Il suffisait d'entrer chez eux pour devenir membre de leur fraternité.

«Victoire dort. Elle pense qu'en dormant pendant deux jours, elle sera en forme pour l'école lundi. Je vais aller la secouer un peu.»

« Ne la réveillez pas surtout. » Le son de la télé était obligatoirement fort chez les Montardent pour couvrir le bruit de leur chahut. Ernest connaissait la télé parce qu'il y en avait une à l'école mais il ne l'avait jamais regardée à loisir et il était sûr que sa grand-mère n'en avait jamais vu de sa vie. Cette boîte boute-en-train semblait mobiliser le monde entier. Devant la télé dans le salon, il n'y avait que Dan, Benjamin et Issachar sur des poufs avec Jérémie, dont le nez coulait, les yeux coulaient, la bouche coulait et qui trônait inerte sur les genoux de Benjamin, apparemment passionné par la discussion dans la boîte.

« Viens voir, Ernest! appela Dan. C'est intéressant. » Les yeux de Dan faisaient un va-et-vient acharné entre l'écran et Ernest qui essayait de suivre les paroles.

« C'est une émission sur l'histoire. On invite des historiens et des écrivains vivants », lui dit Benjamin.

« Ils ne peuvent pas inviter des morts », croassa Victoire en pyjama, réveillée et arrivant en touriste dans le salon. Entre trois crises de toux, elle vit

Ernest et lui montra son étonnement: «Qu'est-ce que tu fais là? Tu n'es pas allé chez Élodie?»

«Je suis un réfugié de la fête d'Élodie.»

«C'était pas bien? Qui y avait-il?»

«Élodie.»

«Évident.»

«Et un animal insolite en voie de disparition.»

«Écoute, je suis bouchée aujourd'hui. Cause normal. Qui?»

«Moi!»

«Et qui encore?»

«Je t'ai communiqué la liste entière.»

«La vache! Et vous avez fait quoi?»

«L'amour!» Il ne savait pas pourquoi cette réponse était sortie de sa bouche.

«Je vais la tuer! Je vais te tuer!»

«Chuuuut!» chuchota Dan.

«Uh!» dit Jérémie.

«Regarde!» dit Benjamin.

«Elle a comploté... une embuscade!»

«Tu ne sais pas encore le pire: elle a pris ta place à côté de moi dans la classe.»

« Et toi, Ernest Morlaisse, tu t'es laissé faire ! »
Ernest ne savait pas quoi répondre.

« Je lui arracherai les yeux. T'en fais pas, ça ne va pas se passer comme ça ! »

« Ce n'est pas grave... »

« Ernest, sache une chose, je suis prête à me battre pour toi ! »

« Et moi, Victoire, pour toi. »

« Je ne m'appelle pas Victoire pour rien. »

« Chut ! Pour une fois qu'il y a un mec bien à la télé ! »

Victoire s'allongea sur le divan. « Viens pas trop près », dit-elle à Ernest. M. de Montardent entra avec un « salut » tonitruant, sa femme aussi, puis quelques frères, chacun avec quelques effets de bruitage.

« Chuuuuuuut ! »

Jérémie changea de genoux. Il monta sur l'Ernest masqué et tira sur son masque.

Dan fixa Ernest : « C'est fou ce qu'il te ressemble. »

« Surtout avec le masque. » Ernest étudia les traits de l'homme qui parlait et se reconnut.

Même fossette au menton, même nez, même bouche, mêmes yeux. Tout le monde est équipé de ce même ensemble, mais un millimètre peut changer la beauté en laideur.

« Ce qu'il est beau, ce type ! On dirait une vedette de cinéma ! » s'exclama Victoire.

Ernest était toujours mal à l'aise quand on lui parlait de beauté physique. « Beau ! Il y a autre chose dans la vie, non ? »

« C'est quand même la première chose que l'on voit ! »

« Chut ! C'est le mec de ton livre ! »

Ernest fixa l'écran et se retint d'aller toucher l'image sous le verre.

« Gaspard Morlaisse, est-ce que vous avez appris les secrets de votre père ? » demanda l'animateur de la télévision.

« Je n'ai pas connu mon père. Il est mort sur le front en 1940 avant ma naissance. »

« Je n'ai pas connu mon père, pensa Ernest. Et je me trouve dans la même pièce que lui... »

« C'est un parent à toi, Ernest ? » demanda M. de Montardent.

Blanc comme quelqu'un qui verrait un fantôme, Ernest dit : « C'est peut-être mon père. » « Et je dois être le secret de mon père », se dit-il. En fait, il savait que c'était son père. Il connaissait son visage par cœur, le visage de la table de nuit de sa grand-mère. « Est-ce un père s'il ne veut pas être un père ? » dit Ernest d'une façon à peine audible.

L'interview se termina, mais Ernest resta immobile. Peut-être pensait-il que s'il ne lâchait pas son regard, l'image reviendrait. Il était tellement congestionné de désir et de frustration que rien ne pouvait le faire bouger de là. En plus, Jérémie avait pris racine sur ses genoux.

« Tu le connais alors », demanda Benjamin qui regretta tout de suite sa question.

« Il a disparu quand je suis né. Grand-Mère ne m'en parle jamais. Encore des secrets. Je hais les secrets ! Tout devrait pouvoir se dire. On ne vient pas au monde pour jouer à cache-cache avec nous-mêmes... mais pour chercher la vérité et la dire haut et fort ! »

« C'est une lourde tâche », dit Mme de Montardent.

« À quoi bon vivre sinon... »

« Ton père doit avoir ses raisons. »

« J'avais trois jours. Qu'est-ce que j'ai pu lui faire ? » Ernest luttait contre les larmes qui lui picotaient les yeux et le nez.

Victoire déménagea ses microbes a côté de lui pour caresser sa tête.

« Je n'y ai jamais pensé. Je vivais avec Grand-Mère et je m'interdisais de croire que ce n'était pas normal. C'est seulement en venant ici que j'ai vu qu'il y avait d'autres formes de vie. »

« Qui a ses inconvénients aussi... » intervint Mme de Montardent.

« On vous a fait du mal alors... » dit Benjamin.

« Non, au contraire, vous m'avez poussé à parler avec Grand-Mère. Elle m'a avoué que mon père était vivant. Puis je suis tombé sur ce livre, puis j'ai cherché dans l'annuaire et j'ai vu qu'il habitait la même ville... et depuis je le cherche partout et je rêve de lui et je ne sais pas ce que j'ai fait pour qu'il m'abandonne pour toujours. »

« C'est sûrement une histoire entre lui et ta grand-mère. »

«Et puis, est-ce que je veux d'un père qui m'abandonne lâchement?»

«Il a dû avoir ses raisons...»

«Ou sa folie... dit Issachar. C'est peut-être un dépressif profond.»

«Il a peut-être complètement oublié et c'est tout», suggéra Benjamin.

Jérémie ajouta son approbation avec un «Uh!»

Voyant l'état d'esprit de leur invité, Mme de Montardent déclara: «Tu restes avec nous ce soir.»

«Merci, mais Grand-Mère...»

«On va aller la chercher.»

«Vous savez, elle a ses habitudes.»

«Les habitudes... on peut leur donner un coup de pied de temps en temps.»

Dan se leva avec les clefs de la voiture, mais Issachar l'arrêta: «Ce n'est pas très prudent, une vieille personne avec tous ces microbes.»

«Non, vraiment, je vais rentrer. Je vous remercie. Une autre fois.»

Dan l'accompagna à la porte et lui chuchota: «J'ai mis l'adresse et j'ai posté ta lettre.»

Jeannette

Ernest ne s'attendait pas à la scène qui se présenta à son retour. Sa grand-mère était assise sur le canapé les yeux grands ouverts en direction du buffet avec une expression d'extrême détresse. Il avait peine à croire qu'à côté du téléphone, sur le meuble dans lequel gisait la fameuse lettre, se dressait une minuscule télévision. Il leva les yeux vers le plafond pour voir s'il y avait un trou par lequel cet appareil serait tombé du ciel. Le niveau sonore était fracassant. Sa grand-mère ne savait sans doute pas que ça se réglait.

«D'où vient-elle, Grand-Mère?» demanda-t-il, mais elle garda son regard d'épouvante et Ernest sut qu'elle avait vu le même fantôme que lui.

«Vous l'avez vu aussi... Vous avez vu mon père.»

Elle inclina la tête et ferma les yeux. On aurait pu la déclarer morte sauf que les deux fentes en haut du visage avaient pondu des perles de rosée qui se transformèrent en torrents de larmes. Le portail des yeux n'est jamais fermé aux larmes.

Si les microbes sont contagieux, les larmes le sont aussi, et Ernest s'affaissa à côté de sa grand-mère et sanglota avec grand talent. Ils pleurèrent ainsi assez longtemps pour arroser les plaines arides de leurs cœurs et puis Précieuse se ressaisit. «Ce sont Jeannette et Henriette qui ont installé la télévision par force. Elles viennent d'acheter un nouveau modèle et elles m'ont demandé de leur rendre service en gardant celle-ci jusqu'à ce que Henriette en ait besoin.»

«Je l'ai vu, Grand-Mère. Je l'ai vu à la télé. Dites-moi ce qui s'est passé. Pourquoi nous a-t-il quittés? Qu'est-ce que vous lui avez fait?»

«Je l'ai conçu. Je l'ai fait naître. Je l'ai élevée toute seule. Je l'ai aimé. Je l'aime.»

«L'avez-vous fait chercher?»

«Non. La maternité ne dure pas éternellement. Les enfants doivent partir un jour ou l'autre.»

«Mais il m'a laissé!»

Précieuse haussa les épaules et poussa un soupir.

«Qu'est-ce qui s'est passé, Grand-Mère?» répéta Ernest.

«Je ne sais pas. Il n'a pas pu faire face. Je ne lui ai pas donné assez de force. Je ne sais pas...»

«Il n'a pas l'air de trop souffrir.»

«Celui qui souffre tout seul souffre le plus. Personne ne peut connaître la souffrance d'autrui.»

Ernest se leva pour éteindre ces hurlements fous de la télé. Dès que ça s'arrêta, ils furent comme soulagés.

«Je lui ai écrit une lettre, Grand-Mère.»

Jeannette servait de renfort à sa fille, non pas que l'énergique Henriette n'ait pas suffi, mais parce que Jeannette s'était attachée à cette famille pas assortie. Elle venait pendant son jour de congé pour tenir compagnie à Précieuse et lui raconter les dernières nouvelles de chez les

Montardent. Elle les aimait comme les siens, mais elle n'approuvait pas toujours leur excès d'exubérance, leur excès de vie et, en général, l'excès de population. « Vous comprenez, ils sont déjà seize. Si chacun se pointe avec des amis, ça fait une armée. Je ne suis pas le Club Med, moi. Remarquez, ils m'aident. Ce sont de bons enfants. »

C'est Jeannette qui sortit Germaine de l'hôpital et qui l'installa chez les Morlaisse. Avec trois des garçons, ils repeignirent une des nombreuses chambres pour la rendre accueillante.

Germaine, amaigrie et aigrie, eut pour Jeannette et sa fille un coup de foudre à l'envers, c'est-à-dire un coup d'animosité qui grandissait avec chaque nouvelle attaque à ses principes. Les menus, au goût de Germaine, étaient malsains et allaient être la mort de Précieuse. Le fait que la vieille dame ait pris du poids, mange avec un appétit qui correspondait à un nouvel appétit pour la vie, s'habille, participe, s'active, et même, de temps en temps, rie, ne servait pas de contre-exemple aux thèses de Germaine. Quant à Ernest, il était en voie de devenir un voyou avec toutes ces mauvaises fréquentations.

Elle aurait aimé étrangler Henriette qui faisait tout ce qu'elle, Germaine, n'avait jamais eu l'idée de faire. Et elle sabotait quand elle pouvait. Elle cachait les épices et essayait de rabattre l'enthousiasme de sa patronne avec des papotages hostiles à sa remplaçante. Elle insistait sur le fait qu'elle allait assez bien pour reprendre le travail et se débarrasser de cette intruse.

« Vous avez trois mois de congé de maladie. Profitez-en, vous le méritez. »

Par contre, Germaine idolâtrait la télé, qu'elle ne quittait pas du matin au soir. Elle connaissait le programme par cœur et n'aurait manqué un de ses feuilletons pour rien au monde. Ils étaient bien contents car la télé la faisait taire.

Ernest tomba malade très vite après Victoire, avec les mêmes symptômes, ce qui prouvait les soupçons de Germaine sur ses mauvaises fréquentations.

Sauf que Germaine avait un faible pour Victoire. « Elle a du bon sens, cette fille ! » Elle se régala quand Victoire raconta la reconquête de son territoire à côté d'Ernest. Elle rédigea simplement la lettre suivante au maître :

Cher monsieur,

Comme vous savez, j'ai changé d'école plusieurs fois avant que mes parents trouvent un appartement assez grand pour caser nos seize corps. Petit à petit, je me sens bien dans votre classe sur la petite île que j'habite avec Ernest Morlaisse. Il m'encourage et il m'aide (vous pouvez constater mes progrès) et je ne vous cacherai pas que nous nous aimons et que nous avons l'intention de nous marier (plus tard).

Il n'y a pas de raison qu'Élodie Hainaut prenne ma place. Je comprends qu'elle puisse aimer M. Morlaisse aussi. Elle n'est pas la seule ! Dans la vie, on ne peut pas avoir tout ce que l'on veut. Mais moi, je vous assure, je m'écroule si vous ne me remettez pas à ma place. Je ne respire plus, alors vous pensez bien que pour le travail ! (Celui qui ne respire pas ne travaille pas.)

Ce n'est pas un caprice, c'est une nécessité.

En comptant sur votre bon jugement, je sais que vous allez me redonner la possibilité de travailler dans des conditions pédagogiques idéales.

Votre Victoire

Ernest était déjà rouge mais il rougit encore plus à la lecture du brouillon.

«Tu l'as écrite toute seule?»

«Ouais...»

«Pédagogique?»

«Ça c'est de Dan.»

«Je m'écroule?»

«C'est de Benjamin.»

«En comptant sur votre bon jugement?»

«Simon.»

«Et Jérémie?»

«Uh!»

«Et Élodie?»

«Double Uh! Double beurk! Elle ne me parle plus. Ça tombe bien, moi non plus.»

«Sympa!»

«Qui?»

«Vous deux!»

«On ne peut pas aimer tout le monde. On a déjà de la chance d'aimer ceux qu'on aime.»

Bien que la maison ait été assez animée, entre les hostilités de Germaine, la fantaisie de

Henriette, les exploits de Précieuse et l'attente d'Ernest, les frères Montardent passaient à tour de rôle pour tenir compagnie à ce dernier.

Depuis l'arrivée du téléphone et de la télévision sur le buffet, Ernest repensait à cette lettre qui les avait tant mobilisés dans leur autre vie. Il eut l'idée de s'isoler dans sa chambre et de faire de nouvelles tentatives pour la déchiffrer. Il était en train de parcourir ces hiéroglyphes quand Dan entra. À la vue de la lettre, il s'exclama : « Tu as eu une réponse ? »

Ernest leva les yeux tristement et hocha la tête en expliquant : « Ceci est une lettre écrite du front par mon arrière-grand-père pendant la Première Guerre mondiale. »

« Sans blague ! Fais voir ! »

Dan jeta un coup d'œil et fit un signe d'accord. « Il doit y avoir des experts, des graphologues, des archivistes, des types qu'on appelle des paléographes... ou des pharmaciens pour décoder ce truc. »

« Oui, mais où faut-il les chercher ? »

«Je vais me renseigner», promit Dan qui fut vite remplacé par Benjamin. La lettre était encore dans les mains d'Ernest, l'enveloppe sur ses genoux. Benjamin souleva l'enveloppe et la reposa. «Intéressant! déclara-t-il. Tu me la prêtes?»

Ernest n'aimait pas l'idée de se séparer de cette lettre.

«Je veux juste vérifier quelque chose dans mon livre.»

«Tu ne peux pas apporter ce livre ici?»

«Oui, si tu veux... c'est une bonne idée. Je reviendrai une autre fois. Ça va mieux?»

«Ça va aller», répondit Ernest en pensant: «Ça va aller où?»

Gaspard

Les rhumes viennent et s'en vont. Pas paresseux, Ernest aimait néanmoins la sensation d'être immobile au lit, noyé dans des couvertures. Il y avait à l'extérieur de ce lit un monde, de l'action, des gens, mais cela ne le concernait pas. Être malade, ce sont des vacances hors du déroulement de l'univers.

Il reprit l'école, il retrouva Victoire, il renoua avec le monde. Il retravaillait comme avant, il remangeait les bons plats de Henriette en écoutant les sarcasmes de Germaine, et il attendait.

Il attendait une lettre. Des jours et des semaines passaient sans livrer leur promesse et puis, un jour, ce ne fut pas une lettre mais un immense carton, qui atterrit devant sa porte, déposé par un facteur en nage.

Rassemblant ses forces, il trimballa silencieusement le carton jusqu'à sa chambre sans alerter les femmes. Il défit les nœuds, enleva les bandes collantes, ouvrit les rabats et sortit dix classeurs. Sur chacun était inscrite une année. La première était l'année de sa naissance, puis les neuf suivantes jusqu'à aujourd'hui. Il écarta les deux couvertures et lut la première page :

Cher Ernest,

Je t'ai donné un nom composé de mon nom et de ton nom, mais je ne veux pas m'occuper de toi. L'enterrement de ta mère était le mien aussi. Je ne fais plus partie de ce monde. Je respire encore, je marche, je mange, je réfléchis, mais je suis ailleurs... avec elle. Ma douleur est insupportable. Cela dit, je te laisse à ma mère par égoïsme pur. Je ne peux pas m'encombrer de plus que ma propre personne. La vérité est que je ne peux plus prendre ta mère dans mes bras.

« Mais moi, tu aurais pu me prendre dans tes bras », pensa Ernest en poursuivant sa lecture. On aurait dit que son correspondant avait entendu sa question.

> *Toi, tu es là et je suis ton père. J'ai toujours pensé que j'étais fort... avant d'avoir besoin de la force. La vie triste et sombre, bien que studieuse, que j'ai vécue auprès de ma mère ne m'a pas préparé aux coups durs. Je fuis, tout en sachant que l'on ne peut pas se fuir soi-même. On m'a offert un poste au Canada. J'y vais. Je suis lâche et impardonnable. Je ne vois pas comment continuer mes recherches avec un bébé sur les bras. Peut-être un jour tu me pardonneras.*

Il y avait une lettre pour chaque jour. Son père lui avait écrit tous les jours de sa vie, des fois de longues, longues lettres décrivant tous les détails de ses journées, des fois sa philosophie, sa recherche en histoire. Chaque lettre commençait par « Mon cher Ernest » ou « Mon cher fils ». Ernest lut quelques semaines de correspondance.

Il dosait sa lecture avec difficulté car il aurait aimé tout absorber à la fois. Chaque lettre lui donnait un petit morceau de père en plus et il se sentait gonfler... gonfler, au bord de l'explosion de son cœur.

Il passait tellement de temps avec son père, même quand il n'était pas dans sa chambre en train de lire, qu'il n'était plus disponible pour Victoire. Il avait un regard voilé et impénétrable. Victoire se tenait à l'écart, assez fine pour sentir qu'il ne fallait pas le déranger. Germaine commenta le fait en disant qu'il était redevenu « normal ». Henriette lui faisait la morale en le gavant des produits de ses expériences culinaires, et sa grand-mère se contentait de l'observer, elle-même trop méditative et secouée pour en faire plus.

Seul Benjamin venait régulièrement le voir avec divers livres de philatélie. Et Ernest pensa avec regret à la quantité de timbres qu'il aurait pu offrir à son ami si son père avait expédié toutes ses lettres par la poste.

Les lettres traçaient l'itinéraire de Gaspard à travers le Canada et les États-Unis, d'université en université, avant de s'installer à Cambridge dans le Massachusetts, où il rencontra une linguiste américaine et se remaria. Il écrivit: «Le vide dans le cœur reste profond et ne se comblera jamais, mais ce nouvel amour est un baume pour la plaie.»

Cette jeune Américaine qui parlait, d'après son père, un bon français, annonça à Gaspard un soir qu'elle était enceinte. Elle avait renouvelé cette annonce cinq fois au cours des dix dernières années.

Ainsi, Ernest se découvrit l'aîné d'une famille nombreuse, avec cinq sœurs qui s'appelaient Myrtille, Clémentine, Prune, Cerise et Pomme, âgées respectivement de huit, six, quatre, deux ans et six mois. Ernest pensait marier la petite à Jérémie. Chaque fois qu'il les imaginait, le désir, l'espoir, même une démangeaison à les voir le saisissaient si fort qu'il s'était mis au chocolat pour se calmer. Son père lui affirmait que ces naissances renouvelées ne le supplantaient pas, qu'il restait au sommet de la paternité de Gaspard.

Jusqu'aux petites heures du matin, il lisait l'histoire de cette pièce manquant au puzzle de sa vie. Jamais il ne retrouverait de lecture aussi passionnante. Il n'avait pas envie d'arriver au bout, mais il ne pouvait pas se retenir de foncer de page en page.

Il arriva au moment où son père accepta un poste d'un an en France :

> *Pour me rapprocher de toi, pour essayer de prendre contact. Je t'ai attendu à la sortie de l'école, l'école même qui a abrité mes propres débuts scolaires, mais je n'ai pas pu t'approcher. Qu'est-ce que j'allais te dire ? « Salut mon pote. Je suis ton père. Tu ne te souviens pas de moi ? Je suis celui qui t'a largué à trois jours, qui t'a légué la même vie accablante que j'avais vécue. » Et je me suis rendu compte que j'avais fait de toi mon jumeau. Je ne sais pas encore si je ne ressemble pas en cela à tous les pères. Plus j'attendais, plus il me devenait difficile, voire impossible de me présenter. Je suis un monstre. Reconnaître ses torts ne les efface pas.*
>
> *Je rôdais autour de la maison. J'ai vu l'introduction de cette jolie amie qui réussit à t'apporter un peu de gaieté. J'ai même vu l'incroyable : j'ai vu sortir ma mère avec toi un beau dimanche.*

Ma mère, la pauvre. Que dire? Elle a fait de son pitoyable mieux. Elle a été traumatisée. Certaines personnes sont capables de surmonter les épreuves. Elle non! Même moi, à ma façon lâche et traître, je les ai surmontées. Mais je ne t'ai jamais lâché, Ernest. Et je ne t'ai jamais trahi. Et elle non plus. Elle a fait ce qu'elle a pu pour toi, comme elle l'a fait pour moi.

Mon Ernest, pour être près de toi, je suis allé parler avec ton maître. Il m'a dit qu'une seule fois dans la vie d'un instituteur un élève comme toi tombe du ciel. Et j'étais fier, bien que je ne t'aie jamais aidé. Tu es tellement fort et au-delà de ses espérances, qu'il ne s'est jamais posé de questions sur tes conditions de travail et de vie, jusqu'au jour de ta rédaction sur un dimanche avec ma mère. Il pensait que tu étais volontairement solitaire et un peu excentrique.

Ernest, je t'ai voulu et puis je ne te voulais plus mais je ne t'ai pas quitté un instant de ma vie. Je t'ai écrit tous les jours, certes, plus pour moi que pour toi. J'ai pensé à toi du matin au soir. Ça t'a fait une belle jambe! Je ne sais pas si tu pourras me pardonner. Je sais que je ne peux pas me pardonner. Je me suis privé de ton enfance, peut-être pour me punir de la mort de ta mère. Elle aussi te voulait. Elle fut victime d'un accident stupide (existe-t-il des accidents intelligents ?) : d'une hémorragie incontrôlable. Elle-même était orpheline. Je t'en parlerai un jour. C'était une femme tranquillement épanouie. Je l'aimais à la folie. Et j'en suis devenu fou.

Je me crois guéri maintenant. Pas vraiment guéri mais disons fonctionnant. Et je voudrais te serrer dans mes bras, parler avec toi de vive voix. Je voudrais te voir tous les jours. Je voudrais que tu fasses connaissance avec tes sœurs et ma femme à qui j'ai caché ton existence jusqu'à récemment. Ce fut mon secret.

Comme si vouloir suffisait pour transformer ma volonté en action. Comme si on pouvait tout ce que l'on veut. L'argent a toujours été un problème, tu sais, dans l'enseignement, ce n'est pas le Pérou.

Ernest, je suis ton père, un père inefficace et impuissant qui aime croire que penser suffit.

La dernière lettre datait de la veille de l'arrivée du carton :

Ernest, mon Ernest, tu as répondu à toutes mes prières. C'est toi alors qui auras le courage que je n'ai pas eu. C'est toi qui viendras vers moi. Ce sont les enfants qui nous apprennent comment être parents. J'ai beaucoup de retard. Viens quand tu peux. Viens vite ! On va repartir bientôt aux États-Unis.

Ernest s'en voulait de ne pas avoir commencé par la dernière lettre. C'était peut-être trop tard.

Adrien

Quand Ernest parvint à la fin des dix volumes des lettres, l'hiver était passé avec ses grippes et sa grogne, et même le printemps avec ses trois minutes de soleil en plus allait rencontrer l'été. Henriette chantonnait dans ses sauces, Germaine murmurait devant la télé, Précieuse patientait. Un jour, Victoire tapa à la porte avec Jérémie dans les bras. Elle leur annonça : « Regardez ce que vous allez voir ! » Elle posa Jérémie par terre et il marcha comme un ivrogne vers Germaine qui commenta : « Ça me rappelle des choses. »

Ernest, déterminé, se glissa dans le salon qui s'était vidé des téléspectateurs et composa le numéro de son père. Il dut répéter ce geste une centaine de fois avant de décider d'y aller en personne.

L'école finissait en douceur au rythme du maître fatigué. Ernest retournait souvent chez les Montardent après la classe. Il aimait regarder tituber Jérémie. Il le sortait au jardin et s'amusait à courir après lui. « C'est incroyable ! » s'exclamait Ernest.

« On est tous passés par là », observa Victoire.

Un mercredi matin, Ernest se sentit prêt à rendre cette visite. C'est comme ça... on y pense, on y rêve, on l'imagine, et on ne lève pas le petit doigt pour que ça se réalise. Et un jour, hop ! le déclic et on y va.

Ernest se mit en marche, se procura un plan, mit le doigt sur la rue, devina le chemin et s'y rendit sans problème. Il sonna à l'entrée de l'immeuble et reçut la même réponse qu'au téléphone. Personne.

Il interrogea le concierge qui l'informa que la famille Morlaisse était repartie en Amérique une semaine auparavant. « Elles me manquent bien, les petites ! Qu'est-ce qu'elles sont mignonnes ! »

Ernest s'en alla, puis revint sur ses pas pour demander à la loge : « Est-ce qu'ils ont laissé une adresse ? »

« Oui, je vous la donne... attendez... »

Ernest avait l'impression d'être un cerisier qu'on tronçonne au moment où tous les fruits sont mûrs. Amputé ! Il rebroussa chemin, aussi instable sur ses jambes que Jérémie. Il rédigea une lettre dans sa tête : « Cher Papa, je t'ai pardonné une première fois. J'ai lu toutes tes lettres, qui répandaient en moi des miettes d'amour et d'admiration. Comme le Petit Poucet je les ai suivies jusqu'à ta porte. Mais tu m'as encore une fois quitté. J'ai tout l'été devant moi pour relire tes lettres et essayer de comprendre. »

Il porta cette lettre à la poste où il vit pour la première fois l'exposition de beaux timbres. Il fit la queue et paya avec de l'argent emprunté à Henriette.

Il attendit dans la chaleur moite de la fin juin. Il ne guetta pas longtemps une réponse. Il reçut un nouveau paquet de lettres dont une dernière qui l'invitait à passer les vacances aux États-Unis. « Si ma mère est d'accord, j'aimerais qu'elle t'accompagne, qu'elle rencontre ses petites-filles, qu'elle reçoive mes excuses… et mon amour. Je trouverai le moyen de vous faire parvenir les billets. Si tu veux faire lire mes lettres à ma mère, vas-y. »

Ça cognait fort dans la poitrine d'Ernest. Il fit six fois le tour de l'appartement comme un singe dans sa cage. Il avait très envie de montrer les lettres à sa grand-mère, quitte à enlever les lettres qui la décrivaient comme faisant de son « pitoyable mieux ».

Il porta le carton « expurgé » dans la chambre de Précieuse en disant : « Mon père m'a écrit tous les jours depuis son départ. Je les ai reçues il y a quelques mois. Je vous invite à les lire, Grand-Mère. »

Il lui dirait plus tard qu'ils étaient invités en Amérique. Mais à Victoire il le dit tout de suite.

« Veinard ! J'en rêve ! »

« Peut-être que tu pourras venir avec nous, sauf que je suis sûr que Grand-Mère n'acceptera pas. »

Toute la famille Montardent se réjouissait des retrouvailles éventuelles d'Ernest avec son père et sa nouvelle famille. Ernest aurait aimé partager les lettres avec eux aussi.

Dan avait une bonne nouvelle pour Ernest. «J'ai parlé avec un de mes profs qui est très fort en paléographie. Il veut bien jeter un coup d'œil à ta fameuse lettre.»

Les allers et retours entre les deux maisons étaient tellement fréquents qu'Ernest n'eut pas de mal à passer la lettre à Dan. «Je suis sûr que je n'ai pas besoin de te dire d'y faire très attention. Je n'ai rien dit à Grand-Mère.»

«Tu veux venir avec moi?» proposa Dan.

«Oui, ça me ferait plaisir, j'ai tant essayé de pénétrer le sens de cette lettre.»

«Bon, je prendrai rendez-vous pour mercredi prochain après les examens.»

Précieuse sortait de sa chambre seulement aux heures des repas et souvent avec des yeux rouges et gonflés. Germaine se préparait à rentrer chez elle. Rétablie, elle ne supportait plus de nager dans les graisses et les soupes crémeuses de Henriette. Cette dernière avait d'ailleurs eu une offre pour faire la cuisine dans une petite pension de famille sur la Côte d'Azur pendant l'été. Précieuse l'encouragea à accepter. «Nous, on se débrouillera.»

Ernest estima que c'était le bon moment pour parler de la proposition de son père, mais il n'avait pas le courage.

Il finit l'année scolaire dans la gloire habituelle. Même la directrice vint l'embrasser en lui présentant la collection de romans de Marcel Pagnol qu'il avait déjà reçue l'année précédente. Victoire fut félicitée aussi pour sa remontée spectaculaire. Ernest lui donna les Pagnol en récompense.

Victoire l'accompagna avec Dan chez le professeur paléographe qui déchiffra non sans difficulté la lettre vénérée. Ernest nota les mots au fur et à mesure. Il arriva au résultat suivant :

Ma chère famille,
Il fait bien froid ici sur le front. Pouvez-vous m'envoyer des caleçons chauds et des chaussettes ? J'ai bien reçu les gâteaux et le pantalon.
À bientôt, Adrien

Ernest se sentait tout drôle, idiot, déçu et surpris, un vrai chasseur de tigres en papier.

« C'est tout ? »

« C'est tout. »

« Êtes-vous certain ? »

« Je crains que oui. C'est une lettre typique d'un soldat à sa famille, un soldat qui a froid, qui a peur et qui ne veut rien dire d'autre. »

« Est-ce qu'on le dit à Grand-Mère ? » demanda Ernest à Dan.

« Elle sera peut-être soulagée. Un mystère éclairci. Un secret de moins. »

« Nous viendrons avec toi. »

Ils surprirent Précieuse en pleine conversation avec Benjamin, qui bondit quand il les vit.

« Grand-Mère, j'ai quelque chose à t'annoncer. Avec l'aide de Dan, j'ai apporté la lettre à un professeur qui l'a déchiffrée. Voici ce qu'il a trouvé. » Il lui tendit la feuille et, au lieu de pleurer, sa grand-mère éclata de rire.

« Mais c'est formidable comme secret, Ernest. Voilà le secret de la vie : essayer de survivre ! On va fêter ça. Henriette a préparé un goûter d'adieu et nous avons invité TOUS les Montardent. »

« Mais j'attendais bien plus de cette lettre ! » s'exclama Ernest.

« Dis-lui, Benjamin ! » exhorta Précieuse.

« La lettre vaut ce qu'elle vaut. Mais le timbre vaut une fortune ! C'est un timbre d'une série populaire de l'époque qui a un défaut. J'ai trouvé un marchand prêt à payer une grosse somme. »

« Tu plaisantes ? »

« Non, je suis sérieux. »

Henriette entra avec une mousse au chocolat et une grande enveloppe. « Tes billets sont arrivés, Ernest. »

« Acceptez-vous d'y aller, Grand-Mère ? »

« Nous y allons, Ernest. Les billets ne seront pas bons quand on sera morts. »

Ernest s'assit, posa son front derrière ses bras pour cacher ses larmes. Personne ne le dérangea.

Quand il leva les yeux, il vit Victoire, et dans cet éclat de bonheur s'infiltra un goût de tristesse : « Je ne te verrai pas de tout l'été. »

« Ernest, dit sa grand-mère. Il y a trois billets. Un est au nom de Mlle Victoire de Montardent. Ton père s'est arrangé avec ses parents. »

Victoire sauta sur Ernest, embrassa Précieuse, Henriette, ses frères et le ciel. « C'est notre voyage de noces à l'avance. »

Et Benjamin hurla comme un des premiers pionniers américains : « Vers l'ouest ! »

Composition et mise en pages
Nord Compo à Villeneuve-d'Ascq